48 明代
西元1368～1643年 〔注音本〕

全新 吳姐姐講歷史故事

吳涵碧◎著

目錄

【第1006篇】

蔣太后與張太后。

在明世宗心目中，『世上只有媽媽好』，唯有媽媽對他的愛是眞情，其他人全是虛情假意。除了媽媽以外，他不相信任何人，也絕對不願意對任何人付出感情。

明世宗的母親蔣太后每次母子同樂之時，總是長長吁一口氣：『要是你父親還健在，看到兒子當了皇帝，不曉得該有多麼高興啊！』

明世宗的父親興獻王過世得早，四十四歲就撒手人寰，這是明世宗心中最沈痛的創傷，他老是自責，沒有盡到人子的責任，世宗哀歎之餘，只有安慰老母道：『現在宮裡有這許多方士，煉製各種長生不老的丹藥，至少老天保佑，我們母子兩人可以天長地久、永永遠遠相守在一塊兒。』

話雖如此說，蔣太后大病小病沒有斷過。嘉靖十六年春天，孝順的明世宗陪著母親遊過西湖之後，蔣太后的身體愈發不對，明世宗一天到晚捧著各種丹藥服侍母親，似乎不見起色。

有一天，明世宗突生一念，也許讓母親回湖北安陸老家去住一段日子，心情開朗身體就健康了。明世宗把這個意思告訴朝臣，朝臣都曉得明世宗是個孝子，老媽媽要是回到湖北不想回來，皇帝大概也就不回京了。

因此不得不好言相勸：『太后目前正在養病之中，恐怕禁不起長途的顛簸。』

明世宗想想有理，也就不再堅持。他每天捧了一堆丹藥服侍母親，說實話，蔣太后每次看到這許多烏黑的丸子就噁心，但是又不忍辜負兒子的美意，勉強裝出笑臉一顆一顆吞下去。

有一天，明世宗餵完藥，回到寢宮，忽然太監來報，蔣太后在平靜中過世了。明世宗腦中彷彿有無數個金蒼蠅在飛轉，他不但驚慌，並且憤怒，拍著桌几，大聲咆哮：『不可能的，絕不可能的。』牙齒吱吱發出可怕的聲音。

明世宗飛奔到蔣太后床前，果然太后閉上了眼睛，安詳的走了。明世宗『哇』的一聲，撲倒在母親的懷裡，又哭又吐，整個人昏厥過去。

御醫七手八腳，讓明世宗清醒過來，他張開眼睛第一句話是『朕要報仇！』

眾人面面相覷，蔣太后病危久矣，遲早會走的，明世宗要報什麼仇，莫非要與閻王爺去理論。明世宗怒火中燒道：『這一定是老巫婆張太后下的毒手，否則母親怎麼會服了長生不老之藥後，反而莫名其妙的走了？』

說著，明世宗馬上就要頒詔旨，為蔣太后報仇，明世宗的臉色不但難看，並且可怕。內閣大學士季時奮不顧身向前勸阻：『沒有任何證據顯示張太后下毒，皇上詔旨治罪張太后，恐怕引起天下人的非議，有傷聖上的聲譽。』

明世宗一向是個人人爲我，我爲自己的人，他勉強收回詔旨，這一口氣卻非出不可。

明世宗一口咬定張太后害死了蔣太后，事實上，張太后只是一個可憐的老婦人，丈夫死了，兒子死了，她主張立的明世宗視她爲眼中釘，她有什麼能耐可以去害蔣太后呢？

明世宗對付不了張太后，他怒火一陣一陣燒，念頭一個一個轉，臉上陰晴不定，那個模樣似乎想要吃人。他問左右：『張太后的弟弟張延齡現在在哪裡？姓張的一家人沒有一個好東西。』

『張延齡強奪民宅，仍關在獄中。』左右回答。

『嗯，很好，把刀架在張延齡脖子上，暫時不砍。』明世宗爲自己這一條毒計十分得意。

張太后兩個弟弟張延齡、張鶴齡都不成材，張太后屢次勸說，兩兄弟全聽不入耳，張太后一點辦法也沒有，弟弟再壞，總是自己的親弟弟，也是她唯一的親人；她聽說張延齡刀加頸上，命如遊絲，急得跑到明世宗前面求情。

明世宗理也不理，睬也不睬，他其實心知肚明，張太后沒有本領加害蔣太后，但是他滿肚子不如意，非找一個出口不可。

張太后求情無效，只好上演苦肉計。她穿上一件破衣服，睡在一張草蓆上面，早也哭，晚也哭。那種模樣，就像是一個小孩子沒做錯事卻被大人責備，臉上全是惶恐委屈，讓人看了好不忍。

朝臣個個不安，紛紛為張太后請命。明世宗仍然狠心讓張延齡關在獄中，鶴齡死在獄中，張太后終於也走了。明世宗一天到晚對付人，他也將心比心，以為張太后在對付他。明世宗身為天子，但他不快樂；算計人是得不到快樂的。

閱讀心得

【第1007篇】

明世宗思念母親。

明世宗醉心於長生不老之術，他相信方士煉製的丹藥有用，對他有用，對他最愛的母親蔣太后也有用，然而，嘉靖十七年十二月，蔣太后竟然在服藥之後突然去世，對明世宗而言，眞是沈痛的打擊。

明世宗時常晚上躲在被子裡偷哭，從他十二、三歲入室繼承帝位，他就曉得身爲天子，絕對不能在任何人面前示弱，然而他的內心是無比軟弱，唯一支撐他的，只有親愛的母親，其他人全是豺狼虎豹不安好心。

蔣太后突然過世，明世宗完全沒有辦法接受這個事實。貴爲天子，應該沒有任何辦不到的事，明世宗心中卻經常沮喪寂寞，充滿了挫折感。

雖然母親死了，明世宗整個注意力仍然黏在母親身上，他決心將父親興獻帝的靈柩迎接到北京，與母親葬在一起。但是他親自查看了大峪山陵墓之後，覺得不妥，他又要把母親送到承天府與父親合葬。

明世宗一天到晚爲這件事焦躁不安，他決定自己跑一趟承天府，再決定安葬事宜。由於世宗不理朝政，蒙古蠢蠢欲動，當時河套一帶情況危急，大臣們聽說世宗要離開北京，個個不以爲然。

於是，吏部尚書許讚，左都御史王廷相等人寧可冒著觸犯世宗的危險，紛紛上書，勸諫皇上不要遠行。

明世宗正是一肚子火沒地方出氣，看到上書，脾氣來了，瞪著眼睛罵道：『你們是做甚麼？朕是要爲母親盡孝道，又不是出去玩兒，眞是！』臣子們不敢開口，私底下議論紛紛，皇帝要查看墓地，派個得力的人去就是了，現在國家情況危急，幫蔣太后辦後事不該是最優先處理的大事。

明世宗非去不可，又有不識相的大臣站出來說：『萬一路上皇上發生不測，國不可一日無君，請皇上先立皇太子。』

這話更不中聽，意思是說，萬歲爺你非去不可，誰也料不準，一路上你會不會死掉，會不會被蒙古人俘虜，那麼國家就慘了，不如先立一個皇太子，以防不測。

明世宗臉都氣白了，他冷笑道：『這豈不是詛咒朕。』

最後，明世宗還是冊立了太子，在嘉靖十八年二月出發。爲了擔心一路上有危險，明世宗總是隨身帶著道士一塊兒走，無論如何，明世宗對於道士的法術總是深信不疑的。

三月裡，明世宗到了承天府，這是他出生之地，也是他日日夜夜夢想的地方，景物依舊，人事已非，父親走了，母親也跟著走了，留下他一個人孤孤單單。

雖然明世宗貴爲天子，他覺得自己是家破人亡，好淒涼，好可憐，好無助，身邊一個可以說話的人都沒有。想想人生眞沒甚麼意思，連這個皇帝寶座，有時也是又累又倦。

明世宗自艾自怨，悲從中來，他忽然覺得自己還是十三歲的小孩子，被迫離開媽媽，要到北京當皇帝，他記得當時，扯著媽媽的裙子，他不想去，想哭，他怕。

蔣太后當時安慰他：『別怕，拿出勇氣來，我們母子馬上會相見的。』明世宗一直記得當時生離的無奈，畢竟生離還有相聚的希望，如今卻是死別啊。這一別，來生能否相見都難說，明世宗忍不住了，他開始放聲痛哭，哭得腸子都要斷了，他哭得如此傷心，同行的人也跟著鼻酸。

為母親辦後事，該是他最後能盡的孝道了。明世宗不厭其煩親自指揮，這裡那裡囉囉唆唆，工部的官員不敢怠慢，小心伺候著。

終於，明世宗交代完畢，啓程回家。經過慶都縣，縣內有堯母廟，明世宗又轉變想法，他說：『原來依古禮，父母不在一個陵墓，那麼太后就不必葬在承天府了。』

他這一開口，所有人幾乎昏倒，勞師動衆折騰半天完全浪費。可是，明世宗回到京師，又發覺大峪山風水不如理想，最後，又將蔣太后移往承天府安葬。他反反覆覆其實都表示了他的孝思。

蔣太后安葬了，明世宗的心仍在哭泣，一直到第二年中秋夜，他望月思母，淚下兩行，寫了一首〈中秋思母親〉：『愴愴然，悲把餅嚥下心痛苦，心何痛苦兮……』

失母之痛的確是人生憾事，如果明世宗能夠收起哀痛，用老吾老以及人之老的精神，照顧體貼其他人的母親，也許他不會如此痛苦了。

閱讀心得

【第1008篇】曹端妃採朝露。

明世宗怕老，怕病，更怕死。事實上，這是沒有一個人不害怕的，但是，明世宗是皇帝，當他決心不理會朝政，專心一意照料自己的身體時，他動員的力量可是相當驚人的。

明世宗的母親蔣太后去世之後，明世宗不免懷疑母子一起服用的長生不老丹藥，究竟有沒有效果。他日日夜夜爲此愁煩，老覺得身體到處不舒服。

有一天，他遠遠瞥見道士藍道行走路，世宗驚奇的發現，藍道行雖然八十多歲了，卻腰板挺直，紅光滿面，精神健旺，行走如飛。世宗問藍道行：『你身體這麼好，祕訣在哪裡，可以告訴朕嗎？』

藍道行微微一笑：『我是飲用朝露。早上一杯新鮮的朝露喝下去，可以清除腸胃，用朝露服用丹藥，更能效果神速，達到長生不老。』

明世宗只要聽到『長生不老』四個字，立刻著了魔，他興奮的傳令：『明天一早採集朝露。』明世宗是個急性子，他恨不得馬上就到了第二天黎明，他可以暢飲一杯新鮮的朝露。

他下令：『採露之事不必由方皇后負責，由曹端妃負責。』

曹端妃是明世宗新寵的妃子，她不是十分漂亮，只是普通姿色，但是非常會撒嬌，一看到明世宗，就親親熱熱握著他的手，往他懷中鑽，並且非常兇悍的手扠著腰，不許其他妃嬪靠近皇帝。明世宗從來沒有見過如此潑辣精明的女子，覺得十分新鮮有趣。

曹端妃凡事喜歡搶在前面，耀武揚威發號施令，因此，明世宗一吩咐，她立刻笑開了，馬上挺直腰板，擺出長官的架式，東挑西揀的，選了四十位宮女，並且下達命令：『明天，天一亮，你們排成隊伍，左手拿著玉杯，右手拿著銀箸，把樹葉上的露水撥入杯中，再送到御膳房中，調製成萬歲爺飲用的甘露。』

所謂露水，就是近地面的水氣，夜間附著於草木等容易散熱的物體上面，因為遇冷而凝結成珍珠似的水滴，一般稱之為露水、露珠。

宮女們一聽，天沒亮就得起床做苦差事，心中老大不願意，個個不自覺的嘟起了嘴。

眼光銳利的曹端妃看到了，又扠著腰做茶壺狀道：『嘿，不對，你們還得先用布把樹葉一片片擦洗乾淨。』眾宮女一聽，眼眶都濕了。

第二天一大早，曹端妃興奮的開始指揮，有幾位宮女好可憐，因為害怕早上醒不來，一定會被處罰，乾脆整夜沒有睡，抱著枕頭等到集合。

一位宮女想到家鄉的爹娘，想到進宮之後的淒涼，想到自己一個人在宮裡，沒有家庭的溫暖，沒有兄弟姊妹；展望未來，看不到一線希望，最後反正是死在宮中，無人聞問，心中一酸，忍不住嚎啕大哭起來。

一位宮女哭，其他宮女跟著哭，曹端妃集合排隊時，仍有宮女止不住

哭泣，曹端妃喝斥道：『能幫萬歲爺做事，這是修都修不來的福氣，你們還哭什麼？』

宮女們暗暗想：『你當然樂於邀功，我們簡直不曉得在忙什麼。』但是誰也不敢開口，乖乖洗淨樹葉，魚貫的把一顆顆露珠撥入杯中。

這一天，明世宗特地早起，參觀採露珠。在天濛濛亮中，只見一群身材曼妙的少女，體態輕盈的來往忙碌穿梭於樹叢中，眞是一幅美好的畫面，明世宗長嘆一聲：『好美！』旁邊的宦官連忙說：『早上濕氣重，天氣寒，萬歲爺小心別著涼了。』

『說的也是。』一向最愛護身子的明世宗回到宮中，沒有多久，御膳房中蒸製的甘露端來了，藍道行也來了，吩咐道：『嗯，可以再加一些人參，更能補身子。』

明世宗啜飲了一口，大聲讚美道：『嗯，好喝！』同時，他日常服用丹藥也改用朝露吞服，他舉起大拇指對藍道行說：『朕果然覺得精神開朗，心情舒暢，長期飲用這種甘露，朕相信，總有一天，朕會升天。』

明世宗覺得甘露十分美好，採露的宮女卻一個一個苦不堪言，冬天的清晨，根本看不清楚，一不小心，踩到石頭，跌了一大跤的大有人在。由於氣候嚴寒，一個一個接二連三的傷風感冒，有幾個宮女躺在床上，發起高燒，甚至得了肺炎，曹端妃毫不留情的指責：『這麼嬌滴滴，不必裝了，趕快起來吧。』這些宮女只得一個一個的含著眼淚起床。

閱讀心得

【第1009篇】

王寧嬪擦拭樹葉。

明世宗不問朝政，專心一意照顧身體，他接受道士藍道行的建議，每天用朝露健身。不曉得是否心理因素，明世宗用朝露服丹藥，泡人參，燉燕窩都覺得滋味大不相同。

採集朝露的事是由曹端妃負責，曹端妃藉著這個機會，一方面討好明世宗，一方面欺壓平日不合的宮女，忙得十分興奮。這四十多位宮女每天一大早，天還沒亮，一手拿玉杯、一手持銀簪撥露水，久而久之，相繼病倒在床。

起先，曹端妃會發脾氣，斥責她們：『別太嬌慣！』可是宮女接二連三躺在床上不省人事，曹端妃不得不要求添加人手。

她忽然心生一計，笑咪咪的建議明世宗：『萬歲爺，許多採露的宮女病倒了，可不可以請一些妃嬪加入？』

『當然可以。』明世宗一心只想著自己的健康，誰去採朝露，他根本沒有興趣過問。

『那麼，王寧嬪能加入嗎？』曹端妃又追緊的問了一句。

『一切由你做主。』明世宗懶得再多說了。

王寧嬪曾經也被明世宗寵愛過，她長得一點也不漂亮，尤其有一兩顆

齙牙，但是王寧嬪讀過一些書，肚子裡頗有學問，又發明過一種紫檀香餅，配以九孔香爐，供明世宗祭祀之用，明世宗曾經對王寧嬪大大誇獎過一番。雖然王寧嬪現在失寵了，曹端妃想起來，仍然心裡氣得要命，因此，她要藉採露之事報仇。

曹端妃扠著腰，對王寧嬪說：『我奉了皇上的御旨，命令你明天起加入採露。爲了確保朝露新鮮乾淨，萬歲爺說以後傍晚先用溼布把樹葉擦一遍。』

曹端妃又想出整人的新點子，宮女們採露已經是苦事一件，還得應付曹端妃的陰狠，才真正是最難受的事。大家都曉得，萬歲爺沒出擦拭樹葉的主意，這一定是曹端妃的意見。

於是，一些倒楣的妃嬪、宮女，不得不在傍晚時，一片一片的擦拭樹葉，擦完了，曹端妃還得檢查。

曹端妃因爲不滿王寧嬪，她手心中悄悄的抓了一把沙子，王寧嬪剛剛擦完樹葉，曹端妃就把沙土又倒在樹葉上面，然後朝王寧嬪嘩啦嘩啦叫了起來：『你看，這麼髒！明天如此混濁的露水能讓萬歲爺吃嗎？』

曹端妃欺負王寧嬪不是一天兩天，她對其他宮女也一樣沒有好臉色，有一個年紀較大的宮女楊金英忍不住嘀咕了一句：『狐狸精太厲害了。』

曹端妃耳朵尖，一把揪出楊金英，狠狠的問：『你說甚麼？』

楊金英低下頭：『我沒說甚麼！』

『哼！我曉得這一定是某人的意思。』曹端妃逮住機會，一溜煙的奔到明世宗懷裏，邊哭邊告狀：『臣妾因爲負責採朝露之事，被王寧嬪欺負，她們還罵我是狐狸精，希望取消採集朝露。』

『這怎麼可以？』明世宗啜了一口朝露泡的參茶，說：『把王寧嬪找來重重打一頓！』

於是，王寧嬪被打得死去活來，身上一塊青、一塊紫，衆家宮女與失寵妃嬪個個看了不忍，王寧嬪哭得已經沒有聲音了。明世宗不愛後宮中任何一個女人，但是，他是萬歲爺，又是宮中唯一的男性，所有女人仍然眞心愛戀著他。

老宮女楊金英首先發難：『萬歲爺最近丹藥服多了，脾氣愈來愈壞，動不動找我們宮女出氣，沒有道理！』

另一個最近也挨打的邢翠蓮接著說：『萬歲爺講起話來，一個小腦袋轉個不停，又不斷翻白眼，教人看著不順眼。』

楊金英又說：『他那討厭的樣子，我恨不得掐死他！』

『對，掐死他！』『掐死他！』『他死了我們就用不著七早八早去採朝露了。』

身痛心更痛的王寧嬪下了決心道：『對，我們一起掐死他！』一群宮女竟決定十月二十日晚上下手，她們要親手掐死可惡的明世宗。

明朝的皇帝十分小心，一般人不容易知道他晚上住在何處，衆多妃嬪由皇帝臨時召喚，但是這一陣子，明世宗專寵曹端妃，一定是在曹端妃那兒。既然曹端妃每天一大早就得張羅採集朝露之事，寢宮之中只有明世宗一人，那時下手最好。

中國自古以來沒有後宮謀害皇帝的前例，宮女們有些害怕，但是王寧嬪因愛生恨，她決心辦這一件驚天動地的大事，她一切豁出去了，她在心中對明世宗說：『我對你這麼好，你竟忍心幾乎把我活活打死，我也準備一報還一報……』即使是皇帝，原也不該如此不把人當人的啊。

閱讀心得

【第1010篇】宮女大反撲。

明世宗接受道士藍道行的建議，每天飲用新鮮朝露。這份工作，由世宗寵愛的曹端妃負責。曹端妃逮住機會，欺負王寧嬪等失寵嬪妃與宮女，於是大家決心把討厭的明世宗在半夜三更掐死。

研究明史的史學家對這一段歷史十分迷惑。掐死皇帝該當何罪！難道這些宮女不要命了嗎？若說有政治陰謀，其中又沒有任何男性參加，在中國，古代女人在政治上是沒有權力的；也有的史家在猜測，會不會是王寧嬪想當太后才出此下策？但王寧嬪主謀掐死皇帝，她怎麼可能有資格當太后？

王寧嬪及一干宮女想法十分單純直接，她們活不下去了，採露本是件辛苦事，萬歲爺非但不體諒恤勉，反而動輒鞭打，人生毫無希望可言，不如一死了之。不過，要死得拉一個墊背的，這個人就是明世宗。

這次計畫參加的共有十多名宮女，帶頭的是王寧嬪，有自願參加的，也有迫於情勢，不能不參加的。

嘉靖二十一年十月二十日傍晚，眾宮女們清洗完樹葉回來，個個累得不能動。楊金英說：『今晚，我們就做一個了結吧。』

『好！』眾人一致叫好，她們心情很激動，她們要合起來做一件驚天動地的大事，她們雖然害怕，卻沒有退縮，反正豁出去了。

明世宗的心事多，一向失眠，翻過來翻過去的，總得折騰到天亮前才能眞正進入夢鄉。這時，曹端妃已經興致勃勃，精神抖擻的出去指揮採露了。

十多名宮女悄悄溜入端妃閣中，明世宗正歪著小腦袋睡得正香。他唇邊還流著長長的口水。楊金英拿著一條繩子，從世宗脖子一套，姚淑翠用一塊黃巾矇住世宗的臉，世宗突然眼前一黑，正想開口喊，楊金英等宮女一塊兒用力拉繩子，有人幫忙拉繩，有人用力壓腿。

明世宗用力掙扎，兩腿猛踢，女人的力氣小，合起來卻不弱，怎麼掐了半天，明世宗還沒有斷氣？原來楊金英太慌張了，應該把繩子打成活結，卻結成一個死結，難怪再用力拉也沒用。

於是，楊金英把繩子一端拴在床櫃上，大夥兒再用力扯，這一勒之下，明世宗兩隻眼睛像青蛙般突出來，滿臉通紅，人也快斷氣了……

就在楊金英發現活結打成死結之時，一個名叫張金蓮的宮女慌了，她趁眾人不注意，跑去找方皇后，拉著她的手道：『皇后，不好了！宮女們快把萬歲爺給掐死了。』

『甚麼？』方皇后大驚，披著衣服帶著人飛奔過來。宮女們聽到了腳步聲，嚇得一哄而散。有情急之下藏在樹叢裡的，有躲在床下的，還有鑽入衣櫃中的，反正沒有一個躲得掉。

方皇后趕緊將明世宗鬆綁，這時的明世宗兩眼圓睜，嚇得不能開口，

彷彿成了一個傻子；氣倒還是有，顯然是內傷很重，御醫們也呆住了，不曉得該怎麼辦。

這時，精通醫理的太醫許紳一步向前道：『於辰時服下我調配的藥，等萬歲爺吐出紫血數升，便可言語。』

於是，方皇后餵明世宗藥，明世宗乖乖的張開口，讓方皇后一匙一匙將藥送入口中，然後倒頭便睡。眾人站在床邊，心中不斷祈禱著，幾個時辰過去了，明世宗霍的坐了起來，口中咕嚕一聲，一下子吐出數升血，吐乾淨了，明世宗果然能開口了。他氣喘吁吁道：『什麼人敢向朕下毒手？』

方皇后負責審問宮女，楊金英、邢翠蓮等都被打得不成人形，很快的供出主謀王寧嬪。

關梅秀、姚淑翠突然道：『還有曹端妃。』

『對，還有曹端妃！』宮女一致叫道。

曹端妃是萬歲爺目前最寵的妃子，三千寵愛在一身，她何必加入這一場陰謀？誰也明白這是不可能的。但是，方皇后也嫉恨曹端妃，於是把曹端妃也抓了來。

曹端妃又哭又喊，鬧著要去見明世宗，方皇后不理會，把口供拿去給明世宗看，明世宗看也不看，氣嘟嘟道：『一起給朕殺了。』

宮女們後悔了，曹端妃也後悔了，採露就採露嘛，用不著藉機會欺負人；這下子全體都完了。十月二十一日，曹端妃、王寧嬪及十六名宮女一起處死；這是中國歷史上從沒有過的怪事，宮女們當然不該如此做，但明世宗也有該檢討之處。

閱讀心得

【第1011篇】

方皇后的下場。

明世宗每天飲用朝露養生，負責採露的曹端妃藉機會欺負宮女，宮女們不堪世宗長期凌虐，動輒鞭打，於是集體合作，想要掐死明世宗，結果慌亂之中，把活結打成死結，方皇后及時趕過來，明世宗逃過一劫。

這是中國歷史上從來沒有發生過的怪事，朝野極爲震驚，內閣大學士嚴嵩等上奏請告謝天地、宗廟與神明以安定人心。其實，凡事有因有果，若不是明世宗過於暴虐，曾經盛怒之下，打死兩百多位宦官宮女，宮女們也不至於出此下策。

說起來，明世宗這一條命是方皇后撿回來的，但是方皇后並沒有因此得到好報。

宮女們因為痛恨曹端妃平時欺人太甚，因此，招供之時把曹端妃也拉下水。方皇后也討厭這個狐狸精，所以將計就計，讓曹端妃也一起處死。

明世宗悠悠然清醒過來，第一句話就是問：『曹端妃呢？她怎麼不來伺候朕？』

這時，方皇后垂著頭，戰戰兢兢道：『當時，萬歲爺就批准不分主犯、從犯一律處死的。』

明世宗瞪著方皇后，眼光似乎要吃人，他從鼻孔裡哼了一聲道：『一定是你搞鬼，她爲何要殺害朕！』

方皇后頭垂得更低，聲音小到不能再小聲：『我也不曉得她爲何參與此事，沒有道理嘛。』

明世宗非常不悅，說著，他拇指與食指彈了一彈，方皇后不知道他要幹什麼，瞪大了眼睛望著明世宗，原來這是明世宗與曹端妃之間的暗語，意思是說，他口乾了，想要喝參茶。

方皇后怎麼會知道，她呆站在一旁，明世宗又彈一彈手指，見方皇后仍然沒有動靜，忍不住破口大罵：『朕要喝茶，你連這個都不懂，笨得像一條豬一般！』

方皇后聽了，眼淚在眼眶裡打轉，她心中後悔，早知道不該把曹端妃拖下水，伺候皇帝這苦差事不做也罷。

明世宗又用手指一指鼻子，方皇后當然還是不懂。明世宗又火了，他氣哼哼道：『朕要吐痰，你為什麼這麼笨？』

方皇后不敢反駁，萬歲爺當著眾人的面這般辱罵她，這個皇后太沒有尊嚴了，她拚命忍住，讓淚水不至於滾下來。

明世宗又追問方皇后：『當初誰參與了問案？』

方皇后答道：『張佐。』

張佐是當初隨著明世宗進宮的老人，明世宗信得過他，張佐被喊來問話，一五一十報告得很詳細，他說：『的確，曹端妃又哭又鬧，吵著要見萬歲爺，一直哭訴自己是冤枉的，不過十六名宮女一致指出她牽涉其

中。』

明世宗不滿意的指責張佐：『你為什麼不讓她來見朕？』

『因為皇后娘娘說，萬歲爺剛剛吐了幾升紫血，太醫吩咐不得打擾。』張佐解釋道。

明世宗一聽就清楚了，這準是方皇后借刀殺人，可惡！明世宗立刻下令：『朕今晚就搬到西苑的燕王舊宮去住！』方皇后雖然也搬到了西苑，卻等於被打入冷宮，明世宗見都不見方皇后的面，表示對她的處罰。

方皇后哭得好傷心，她幾乎後悔，當初根本不該救皇帝，這個可恨的天子，就該讓他死了算了。

嘉靖二十六年十一月，宮中突然起了莫名大火，大火熊熊，方皇后所住的宮殿，很快的燃燒起來，宦官們十分著急，明世宗卻相當無情的下令：『不許救，讓火燒！』

後來，大夥七手八腳的把火給滅了，方皇后卻嚴重燒傷，躺在床上奄奄一息。明世宗也沒有前去探望，方皇后身上痛，心中更痛，她心想：到底我救了萬歲爺的命，他卻一點也不愛惜我的命！沒多久，方皇后也終於撒手人寰。

方皇后死了，宮中卻開始鬧鬼，整個宮中四下彌漫了一股黑氣，花草樹木之間，經常有窸窸窣窣的聲音，採露的宮女個個不安，明世宗有一天作夢，夢到方皇后披頭散髮對他說：『我打的是活結，我要你的命！』

明世宗到底還記得，方皇后曾經救他一命。於是，他下令幫方皇后好好辦一次喪禮，這是前面兩個陳皇后、張皇后沒有過的哀榮。明世宗一連死了三個皇后，歷史上也是絕無僅有的，明世宗認爲皇后麻煩，因此從此以後，明世宗不再冊立皇后。

閱讀心得

【第1012篇】

熱血青年嚴嵩。

明世宗一共立了三個皇后：陳皇后、張皇后與方皇后。三個皇后都因他而死，他也覺得皇后帶來麻煩，因此，自從方皇后去世以後，他二十年不再冊立皇后，經常繞在明世宗身邊轉來轉去的是他最寵信的嚴嵩。

說起嚴嵩，人們可不陌生，他與秦檜一樣，都是中國歷史上最著名的奸臣，巧的是，早年的嚴嵩與秦檜一般，都曾是愛國的熱血青年。

嚴嵩，字惟中，江西人，生於明憲宗成化十六年。嚴嵩個子高高瘦瘦，眉毛稀稀疏疏，外表頗爲清秀，講話的音量特別大，有個外號叫『大聲公』。

嚴嵩幼年，家中十分清貧，他的父親是一個讀書人，考了一輩子，沒有考中科舉，所以他把希望完全寄託在嚴嵩身上，日夜督促他用功，嚴父常抓著嚴嵩的手，指著門户上的橫樑道：『我們嚴家光耀門楣就指望你了。』

所謂門楣，就是門户上的橫樑，若是中了科舉，皇帝或地方官常會賜給扁額，上面寫著『狀元及弟』之類的，高掛在門楣上，這是中國人自古最爲光宗耀祖之事。

嚴嵩每次讀書讀累了，他就站在門楣下面，幻想著扁額高掛，鄉里之人紛紛前來道賀的盛況，然後用冷水揉揉眼睛，繼續把自己黏在書桌之前，一遍一遍的苦讀經書。

明孝宗弘治十八年，嚴嵩二十三歲之時，一舉高中進士。嚴嵩眞是樂壞了，他終於達成父親的願望，從此當可平步青雲，一展抱負了。

不幸的是，嚴嵩樂極生悲，他因爲長期的苦讀，身體十分虧損，驟然興奮，情緒亢奮，突然病垮了，而且病得不輕，根本無法上朝。他掙扎了一段時日，最後不得不忍痛辭職，回到家鄉，住在鈐山中，一面養病，一面調養身心，這一待就是整整十年。

回到家鄉調養後，嚴嵩的身體慢慢強健起來，反正進士已經到了手，用不著再天天開夜車，臉色也逐漸紅潤起來。

嚴嵩的文筆很好，而且寫得一手好書法，這一段期間，他就優閒的讀讀書，寫寫字，作作文章。另外一方面，這時的嚴嵩，心懷大志，他充滿了正義感，希望能爲國家多盡一份力量。

此刻正是明朝正德皇帝在位，宦官劉瑾當道之際。正德皇帝幹了許多荒唐事，例如在宮中賣布，沈湎於酒色，找來許多老虎、豹子設立了豹房，將文武百官集體罰跪，好好的皇帝不幹，自封爲『威武大將軍』出兵討伐；把政事交給劉瑾，還告誡劉瑾『朕在玩時別來打擾；奏章不會處理，我用你幹什麼……』正德皇帝也就是膾炙人口，在梅龍鎭酒家之中，戲弄李鳳姐的那個正德皇帝。

嚴嵩對正德皇帝的荒唐不以爲然，滿心憤慨，尤其對於明武宗這一個

花花皇帝，每一次出遊不但婦女害怕，民衆走避，連官員也嚇得開溜最是不滿，寫了許多詩文抒發，例如『定數難移豈信然，但修人事可回天』，他相信這不是國家定數，認爲一定能回轉天意。這一些作品，收錄在《鈐山賞集》之中。

到了正德十一年，嚴嵩已經在家等了十年，劉瑾已經處死，嚴嵩開始不耐煩了，他想出來做事，心中想著：『我十年寒窗，好不容易才考中進士，總不能這麼無聲無息過一輩子啊。』

因此，嚴嵩懷著一顆熱烘烘的心，北上復官。但是朝廷裡好的位置都被人給佔了，他只能在一些小官職中轉來轉去，這一轉又是十年過去，嚴嵩暗自心驚，人生已經浪費了二十年，不能再虛耗了。

這時，嚴嵩發現了一條門路，他有一個同鄉夏言很受明世宗器重，夏言是正德十二年的進士，比嚴嵩晚了十多年，該是後生晚輩，嚴嵩顧不到這一層，急著與夏言攀關係。夏言架子挺大的，嚴嵩擺下宴席，夏言拒絕前往作客。

嚴嵩急了，親自拿著請柬到了夏言家，請求一見，夏言依然不理。嚴嵩想到這一拒絕，可能得再等十年，心中一酸，膝下一軟，竟然就直直的跪在夏家門口，大聲的唸著請柬。

嚴嵩是個大聲公，嗓門奇大，且聲音十分悅耳，夏言想不聽到也難，眾人又圍攏過來，指指點點，『既然是同鄉，這關係怎可不理？』

夏言自己也十分感動，覺得嚴嵩太誠懇了，所以，親自走過來，把他扶起，並且歡歡喜喜的赴嚴嵩家中吃飯。兩人好好喝了幾杯。嚴嵩心中十分歡喜，但是他也疑惑，這種當街下跪拍馬屁的醜態，換了十年前、二十年前他做得出來嗎？這時的嚴嵩已經逐漸的走上人生的岔路了。

閱讀心得

【第1013篇】馬屁嚴的掙扎。

一代奸臣嚴嵩原先是個熱血青年，忠直愛國，他高中進士之後，先後隱居了十年，不得志了十年。二十年後，嚴嵩遇到同鄉夏言，他希望夏言提拔，因此，夏言不肯赴嚴嵩的宴，嚴嵩就直直跪在夏言門前，哭哭啼啼的大聲唸請柬，夏言受到感動，把嚴嵩攙扶起來，一塊兒赴嚴府。

嚴嵩的人，以及嚴嵩請來的客人，發現嚴嵩與夏言有說有笑的走進來，眾人一致拍手歡迎，嚴嵩口中不斷說：『貴客駕到！』

席間嚴嵩不停的站起來，恭恭敬敬的敬酒，希望『兄長多幫忙，多照顧！』

夏言被嚴嵩的誠懇深深感動，嚴嵩又把自己作的詩文搬出來，客客氣氣的請夏言指正。說實在話，嚴嵩的文筆優美，的確是個才子，他的書法尤其漂亮，據說中國大陸傳了四百年『鶴年堂』的招牌三個字就出自他手筆。

夏言也是個有眼光的人，他大概翻了一下詩文，驚訝的說：『你的文筆古典，現在沒有幾個人能寫得這麼好。』

嚴嵩又誠惶誠恐的講了一堆謙虛的話，最後，兩人般般話別，似乎成了好朋友一般。

嚴嵩送走夏言，嚴夫人喜孜孜的說：『太好了，我就知道你有出息。』

嚴嵩白了夫人一眼，沒好氣的說：『你不是一向怪我沒有出息的嗎？』

嚴夫人嬌嬌媚媚的獻殷勤：『那是以前，今晚夏大人來了之後就不一樣了。』

晚上，嚴嵩躺在床上，翻來覆去睡不著，他一直在思索『有出息』三個字。沒錯，夏言答應幫忙，憑夏言在明世宗前面的分量，應該沒有問題，但是這可是嚴嵩跪在夏言門前，哭哭啼啼唸請柬，用這件沒出息的丟臉事換來的代價。

嚴嵩彷彿聽到有人在背後嘲笑他『馬屁嚴』、『馬屁嚴』。當他在鈐山隱居之時，他最看不起拍馬屁的臣子，多次寫文章批評，與朋友談天時，也大罵劉瑾等小人『厚顏無恥』。

天哪，嚴嵩心想，他過去的朋友們，若是知道他今天當街下跪唸請柬，不曉得該如何恥笑他。而這件轟動的事一定瞞不住，馬上就會傳開來，他摸一摸膝蓋，男兒膝下有黃金，他真羞愧。

嚴嵩站起來，拿了濕毛巾擦拭膝蓋，擦得膝蓋都磨破了，擦不掉心中的羞憤，嚴嵩最後的結論是：『全是夏言害的，假如他答應來赴宴，我就用不著當街出醜了。』『這個夏言也真是好命，他不用向誰下跪，運氣來了，就得到皇帝青睞，哼！』

沒多久，夏言果然實踐諾言，嘉靖七年嚴嵩擔任禮部右侍郎，職務雖不太高，卻能夠直接爲皇帝辦事。夏言以爲嚴嵩心中一定對他感激莫名，然而嚴嵩的想法是：『爲什麼我才高八斗，我還得對你低頭，才能謀取一官半職。』

無論如何，嚴嵩擠近明世宗的身邊，他還是眞心想爲大明朝，爲明世宗盡一分忠心。明世宗口口聲聲道：『朕最不喜歡人逢迎拍馬，朕想要聽直言。』嚴嵩但願自己能成爲另一個魏徵，幫助明世宗成爲第二個唐太宗，以洗刷『馬屁嚴』的恥辱。

明世宗是以興獻王之子入承大統，按照過去中國古代的慣例，既然如此，明世宗就必須改稱自己親生父母爲叔叔嬸嬸，而稱孝宗爲父，張太后爲母。明世宗不答應，憤怒的說：『自己生身父母怎麼可以改稱叔父叔母？』後來，明世宗又要把父親興獻王的牌位入太廟，與獻王沒當過皇帝，依照規矩是不可以的。

嚴嵩跟著一些禮部的人一起反對，明世宗大怒，額上青筋暴露，眼露兇光，一顆小腦袋氣得轉來轉去，口中依然強硬的說：『朕要聽忠臣直言，朕最不喜逢迎拍馬屁。』

聰明的嚴嵩看懂了明世宗口中叫著不喜逢迎，事實上誰違反他的意思，誰就倒大楣，因此嚴嵩趕緊見風轉舵，討好明世宗道：『本來應當將皇考興獻皇帝入於太廟。』

『嗯，極有見地。』明世宗深深看了嚴嵩一眼，表示嘉許之意，同時說：『朕就是要聽直言，朕最不喜歡逢迎。』

嚴嵩回到家中，拿起屈原寫的〈卜居〉，其中有一段：『我寧可廉潔正直保持自身的清白呢？還是油滑沒有骨氣的求媚於人呢？』

嚴嵩看著書，他的臉一層一層的變得青白，忍不住放聲嚎哭，他得到了官位失去了尊嚴，魚與熊掌難以得兼哪！

閱讀心得

【第1014篇】嚴世蕃吃月餅。

嚴嵩得到夏言的提拔，果然如願以償當上了禮部右侍郎，官位雖然不高，卻能爲皇帝直接辦事，嚴嵩覺得很滿意。

但是，做了沒幾天，嚴嵩就發現，滋味不如想像中好。明世宗性格陰暗，突然一下子就會發脾氣，其他長官個個不好伺候，尤其是夏言，嚴嵩每次見到他，馬上就想起自己跪在地上請他赴宴的醜態，再加上夏言本來嚴肅，不苟言笑，嚴嵩更是覺得屈辱。

有一天，回到家，嚴嵩終於忍耐不住，他氣吼吼道：『算了，當官這件事不適合我，我應該辭官專心文詞，這才是我的拿手本領。』嚴嵩對自己的古文一向十分自負。

嚴夫人搖搖頭道：『你瘋了嗎！』她把嚴嵩拉到屋角，指著地上各式各樣堆積如山的禮盒，原來是中秋節快到了，雖然嚴嵩的官位不算高，巴結送禮的人倒不少。

嚴嵩的兒子嚴世蕃正在拆禮盒，吃月餅。他吃月餅的方式很奇怪，每一個月餅，他咬一口就扔在一旁。嚴世蕃長得又胖又矮，而且沒有脖子，皮膚奇黑，又瞎了一隻眼，與高瘦白淨的嚴嵩完全不像父子。

嚴嵩拿起一個被咬了一口的月餅端詳，原來是伍仁月餅，裡面的餡可

不只五樣，有核桃、棗仁、松子……芳香無比。他吃驚的問世蕃：『這伍仁月餅不好吃嗎？』

『當然好吃。』世蕃一面回答，一面又把咬了一口的蓮蓉月餅丟棄。

『那你爲什麼只咬一口就扔掉，太浪費了。』嚴嵩氣得想揍人：『兒子啊，你爸爸小時候，全家能分食一個裡面包白糖的月餅就偷笑了。』說著，嚴嵩就去找棍子，雖然世蕃已經成年了。

『可是我這樣才不浪費！』嚴世蕃抗議：『這許多月餅怎麼吃得完，到時候發霉了才可惜，上一回過端午，好多粽子長了絲不能吃。』

嚴夫人疼愛兒子，一旁幫腔：『對，世蕃自小就比別的孩子聰明，他每種口味月餅嘗一口，懂得珍惜食物。』嚴夫人也學著拿起一個棗泥月餅咬一口扔掉，並且批評：『太甜了，不好吃。』

嚴夫人順手拿起一個豆沙蛋黃月餅遞給嚴嵩：『記得嗎，你隱居在鈐山之時，我們連吃一個蛋都得考慮半天，天天喝西北風，逢年過節都不能加菜，誰還會送禮給你，今天竟然說要辭官，我可不幹。』

嚴世蕃也暫時停止吃月餅，一旁吵著說：『我也不要回鈐山。』

嚴嵩想起幼年之時，家境清寒，中秋節難得見到月餅，若能分食到一小片就樂壞了，他從來沒有想過，現在月餅堆積如山。

因此，嚴嵩讚許的摸一摸世蕃的頭：『多吃一點，把爸爸小時候的遺憾彌補過來。』

嚴世蕃終於吃撐了，停了下來，他本來就是長得黑呼呼大塊頭的人，不斷進食的結果，一條大腿就擠滿一張凳子。嚴夫人笑咪咪的說：『看看世蕃，就知道嚴家發達了。』

嚴嵩歎了一口氣，下定決心，正式向升官發財路上邁進，不過心情並不如外人想像的舒坦。中國自秦漢以來，讀書人受到了先秦諸子的影響，特別是儒家思想的薰陶，對於政治常抱有一種崇高理想，例如《禮記》的『大同』，孔子的『德治』，孟子的『仁政』，墨子的『兼愛』，荀子的『禮教』，都印在讀書人腦海中，因此，讀書人做官之後，內心深處對拍馬逢迎、賣國虐民的行爲，仍有罪惡感。這與宦官不一樣，宦官沒讀過書，做壞事的時候不會受到良心責備。

嚴嵩終於橫了心，管他奸不奸，讓皇帝開心最重要。

恰好這時候明世宗派嚴嵩到湖廣去祭告先父的陵墓，回來之後，明世宗詢問一路上的情形。

嚴嵩拿出編故事的本領，大吹特吹：『臣在陵墓前恭上皇上寶冊，突然下起一陣神雨，更奇怪的是，石頭裡長出一顆顆紅棗，一會兒群鶴集繞，河流驟漲，種種祥瑞，不只一端哪！這皆是皇上聖明，感動天地，這一定得撰文刻在石頭上，說明上天的恩寵。』

明世宗最喜歡人家戴高帽子，臉上還故意裝著淡然的樣子：『那麼就由你代筆吧。』

嚴嵩恰好藉這一個機會，大大賣弄文筆。他喜歡用一般人看不懂的字，表示自己有學問，更喜歡用一大堆形容詞大大誇張。恰恰明世宗也自認爲肚子裡有墨水，能夠寫詩詞，所以對嚴嵩不斷嘉許：『你文學修養不壞，朕一定要好好重用你。』

總之，明世宗脾氣古怪，君威難測，嚴嵩陶醉在官場的美夢之中，把心中殘存的正義感完全掃光了，成爲一個十足的馬屁嚴。

閱讀心得

【第1015篇】嚴嵩寫青詞。

嚴嵩經過一番内心掙扎，終於成爲一個『馬屁嚴』。

嚴嵩能夠得到明世宗的信賴，除了他善於察言觀色之外，還有一個重要的原因，那就是他的文學修養深厚，曾經被明朝的文人雅士奉爲精神領袖，他們的文體是濃艷的、華麗的、工巧的。

嘉靖十八年，嚴嵩以天上出現祥雲爲理由，寫了一篇〈慶雲賦〉獻給明世宗，他諂媚的說：『臣絞盡腦汁，以平生所樂，完成此篇，懇請皇上指正。皇上的文學修養無人能比，臣實在惶恐之至。』

明世宗拿過來一看，嗯，字字典雅，對仗工整，顯然是花了心思寫的。明世宗一個字一個字往下唸，唸到一半，發現一個字『靉』，左邊是雲右邊是愛，他沒看過這個字，不曉得如何讀（這個字應該讀愛，意思是雲起的樣子）。明世宗是個絕不願意承認自己也有不懂的皇帝，他唸到這兒，就不唸了。明世宗迅速的往下看，然後滿意道：『朕一目十行，你確實寫得好，大有進步。』

明世宗又指著靉字道：『你瞧，這個字，一般人不會用，你竟然也認識，不錯，這樣吧，以後你多寫一些青詞。』

嚴嵩又叩了一個頭說：『臣惶恐。』

所謂青詞是什麼呢？明世宗信奉道教，最重視禱祀，每有禱祀，一定要寫一篇文章，燒了焚告天帝，這種寫給天帝的奏章，通常用紅筆寫在青藤紙上面，因此稱之爲『青詞』。

青詞既然是寫給天帝看的，天帝究竟看得到看不到，看到以後欣賞不欣賞，這眞是只有天知道了。明世宗很篤定的以爲『朕喜歡，天帝一定也喜歡。』並且認爲自己可以與天帝直接溝通，有一天，他也會飛到天上當神仙去也。

明世宗個性急躁，有時候，三更半夜，他突然之間心血來潮，不得了，非立刻稟報天帝不可，於是下了一張『條諭』，命令值宿的臣子擬寫，因此，伺候明世宗寫青詞是一件辛苦差事。

嚴嵩撈到這一件事，卻是興奮異常，因為這一項重任，以前都是夏言在辦的。嚴嵩靠著夏言的關係平步青雲，但是，他最惱火的人正是夏言，在夏言面前，他永遠抬不起頭來。

有一次，嚴嵩為皇帝草擬詔書，用的也是寫青詞的文體，就是措辭華美，講究對仗，裝了一堆典故，顯得極有學問，其實是語意模糊，夏言看了，十分不悅。

夏言把嚴嵩找來，老實不客氣的說：『你怎麼愈來愈退步了，囉囉嗦嗦寫了一堆，完全抓不住要點，重寫！』說著，把草稿還給嚴嵩。

夏言這一番話，又直又硬，讓嚴嵩無地自容，卻又一肚子的不服氣。所謂文章是自己的好，嚴嵩對自己的文筆信心十足，連皇帝都誇讚不已，嚴嵩心中想：『你這個沒有眼光的人，你根本看不懂。』表面上嚴嵩卻堆起笑臉，一言不發拾回文章回去再寫。

從此以後，嚴嵩下定決心，非把夏言扳倒不可。嚴嵩暗暗比較自己與夏言的種種條件。

首先是外表，嚴嵩高高瘦瘦，清清秀秀，雖然年紀不小，依然健朗，這是明世宗非常在意的一點。明世宗因爲自己身體虛弱，雖然肚子裡一堆仙丹藥丸，依然乾乾瘦瘦，像個小老頭，實在是難看，因此他特別羨慕身體健康、外貌俊美的人，並且用這一個標準來挑選臣子。

嚴嵩看準了明世宗這一層心理，曾經一而再、再而三的特別對明世宗講述一段故事：『臣在正德十三年，與一些朋友一起去遊衡山，山勢十分險峻，似乎一不小心，就會翻落萬丈深淵，同伴們都倒抽一口氣，心臟跳個不停，只有臣跳上爬下，完全不當一回事。這時一個衡山修行多年的老和尚走了過來，對臣說：「依貧僧看來，你這一分篤定的神態，就是長壽之相。」』

明世宗望著嚴嵩清朗的面貌，總是忍不住誇道：『嗯，仙風道骨，果然是長壽之相。』

嚴嵩雖然以外貌自得，但是人比人氣死人，他與夏言一比，立刻被比了下去，嚴嵩只是清秀，夏言眞正是漂亮，高大英挺，相貌堂堂，眼睛、鼻子、嘴巴，沒有一個地方長得不好，肌膚白裡透紅，神采奕奕，留著一把漂亮的美髯鬚，聲音洪亮，而且一點鄉音也沒有，中氣十足。

夏言不但筆下敢寫，口才一流，講起話來，簡明扼要，一句是一句，誰也辯不過他，因爲他剛正、無私，透露在臉上就是正氣凜然，威風赫赫，有氣質也有氣概。

夏言不拍馬屁，就靠這一分特質吸引了明世宗。嚴嵩條件不如夏言，他得另外想辦法。

閱讀心得

【第1016篇】

夏言拒換道士袍。

嘉靖十五年，嚴嵩接替夏言，做到了禮部尚書，但是野心極大的嚴嵩並不滿足，他的目標是進入內閣，把夏言的內閣首輔的官位搶到手中。

嚴嵩知道，夏言極有才華，明世宗非常欣賞他，一下子不可能除掉，他可不急，他沈住氣慢慢來。

嚴嵩發現，夏言最吸引人的特質就是一股浩然正氣。他的臉上有一種沈毅冷靜、正直、善良的氣質，眉目之間明白的表示，夏言是一個有尊嚴，講眞話的人，任何人都不能隨意侵犯，包括皇帝在內。

嚴嵩深深被這一種氣勢懾服。夏言像是一面鏡子，照出了嚴嵩的馬屁嘴臉，常讓嚴嵩一股寒意直往背脊竄上來。他最不服氣夏言憑什麼可以挺起腰板，他卻得哈腰當小狗。

嚴嵩相信，優點正是缺點，夏言的正直，遲早會觸怒器小量淺的明世宗。

明世宗迷信道教，一心希望當神仙，他還不斷的自己封自己道號，先後自封『雲霄上清統雷元陽妙一飛天眞君』、『九天宏教普濟生靈掌陰陽功過大道恩仁紫極仙翁一陽眞人元虛玄應開化伏魔忠孝帝君』、『太上大羅天仙紫極長生聖智昭靈統三元征應玉虛總掌王雷大眞人玄都境萬壽帝君』。從這三個道號，囉囉唆唆一長串，就可以知道他的貪心貪多，以及一心希望飛上天，後來民間給了他一個外號──『紫極仙翁』。

因此，明世宗最在意禱祀天帝與寫青詞。原先，這工作多半是夏言在負責，後來，夏言弄煩了，他認爲皇帝豈可國家大事擺一邊，天天沈湎於此。夏言曾經勸諫明世宗，可想而知，明世宗不接受。

有一天，明世宗突發異想，他換上道士袍，讓妃嬪也換上道士袍，並且戴上了道士用的香葉冠。明世宗在鏡子前面，左顧右盼，非常喜愛。

因此，他下令特製了五頂沈水香葉冠，分別賜給夏言、嚴嵩等人，要他們在入宮西苑時先得換上，並且與道士一般，只准騎馬不能坐轎子。

當時夏言、嚴嵩都得在西苑值宿，晚上當班，以備皇帝隨時差遣。明世宗經常半夜三更下『條諭』，命令值宿大臣寫青詞，與天上天帝溝通。

這一天，輪到夏言值宿，明世宗自己先換上道士服，一邊幻想，以夏言的高大英挺，換上了飄飄灑灑的道士袍，騎在一匹駿馬上，那眞是如神仙中人般，帥極了。

可是，等了半天，卻進來一頂轎子，拉開布幔，夏言走出來，依然是朝服打扮。

明世宗好失望，一張臉馬上垮了下來，問他：『你是不是沒有領到香葉冠、道士服？』

『臣領到了，但是臣乃大明朝的臣子，豈能不以正式朝服上朝？臣且以爲，皇上也不宜道士打扮。』夏言不卑不亢的頂了回去。

明世宗不死心，繼續說：『那麼，現在換上。』

『不，臣無法遵旨。』夏言還是不肯，同時跪在地上進言，『臣以爲，皇帝仍以換回翼善冠，不宜戴道士的香葉冠。』

明世宗厭惡的瞪著夏言，一顆小腦袋轉來轉去，不斷的翻白眼，旁邊的人都捏一把汗，也在替夏言擔憂，夏言這人也奇怪，難道沒有眼睛，就不懂得察言觀色嗎？

夏言當然知道明世宗不開心，不過他認爲自己是忠於皇帝，忠於朝廷，忠於大明朝，豈可以因爲皇帝不悅就住口。

明世宗氣呼呼的走開了。

第二天，輪到嚴嵩值宿，他可是可人多了，不但換上了白色的道士袍，並且騎了一匹同色的白馬，嚴嵩本來人長得清瘦，遠遠駛來，還眞是仙風道骨呢。

明世宗喜孜孜迎了上去，嚴嵩翻身下馬，身段俐落，他大驚小怪的嚷道：『萬歲爺這身打扮仙風道骨，我在馬上遠遠望見，覺得你會升天。』

其實明世宗外觀醜陋，換上道士袍，一點也沒有瀟灑之姿，倒像是鄉下地方殯葬儀式時搖鈴的道士。

嚴嵩的道士扮相清秀且不說，他還別出心裁，在香葉冠外面，籠上一層黑色的輕紗，明世宗大喜：『更出色了。』

嚴嵩趕緊下拜：『此乃表示對皇上、對香葉冠的虔誠恭敬。』

明世宗被他捧得好樂啊，心想：嚴嵩比夏言可愛了幾百倍呀。

閱讀心得

【第1017篇】

夏言值宿。

嚴嵩因爲夏言的提拔，成爲明世宗身邊的紅人。夏言的正直不阿與嚴嵩的拍馬逢迎恰恰是鮮明的對比。嚴嵩一心想除掉夏言。

嚴嵩值宿的時候，不但換上明世宗喜歡的道士服，並且在香葉道冠之外，籠上一層黑色輕紗表示尊重。夏言則拒絕換穿，同時勸明世宗放棄不倫不類的打扮，皇帝該有皇帝的樣子。

夏言想起值宿就一個頭兩個大。所謂值宿是官員夜晚在西苑當差，隨時等候皇帝的差遣，應付突發狀況，這是歷朝都有的規矩，不過，明世宗對國家大事沒有興趣，他是三更半夜不睡覺，心血來潮就要用青紙寫紅字，與天上天帝溝通，這一份青詞的差事，就落在值宿官員身上了。

這一天，夏言沒換上道士袍，明世宗頗為不樂，眼露凶光，彷彿想張開口，把夏言一口咔嚓咬下去。

夏言並非不懂察言觀色，他只是察了言，觀了色，仍然認為自己身為大明官員，不得不直言，他豈會想要得罪皇帝？

他意態闌珊的坐在桌子前，拿起墨來慢慢在硯臺中來回磨著，思緒回到十多年前，明世宗初嗣位之時，還是一個十五歲的小皇帝。夏言上疏，建議淘汰冗員。少年天子頗為嘉許，下詔由夏言等人做主，一下子淘汰三千兩百多個不需用的冗員，夏言想到這裡，一拍桌子道：『那才是過癮哪！』

後來，明世宗就注意到這一位相貌堂堂，文采風流的夏言了。夏言又建議明世宗清理皇莊與莊田。明太祖朱元璋立國之初，爲了表彰與激勵和自己出生入死的勳臣，經常頒賜田地，稱之爲『莊田』，對於封爲親王的皇子則賜莊田更多，一般在千頃之上。

於是皇親國戚佞臣太監都打莊田的主意，嚴重侵害百姓的利益。夏言對京畿地的皇莊作了一次徹底的調查，歷時一年三個月，寫成了『勘報皇莊疏』，詳細羅列各地皇莊，對皇家而言，利益不過十之一、二，其他八九成入私人荷包，『把皇這個字，加於帝后之上，讓皇帝扛責任，事實上一些奸佞之徒侵奪民田，稱之爲皇莊，用來開店稱之爲皇店，又占奪鹽田，稱之爲皇鹽，這眞是讓天下人看笑話，後代也會譏誚。』

明世宗大大嘉許，夏言正準備大刀闊斧改革，但是，且慢！嘉靖三年九月，明世宗頒旨給親生母親蔣太后的弟弟蔣輪莊田九十頃，又給了另一位舅舅蔣壽莊田四十三頃……皇帝帶頭不守法，還能改革得下去嗎？

夏言想到這兒，長嘆了一口氣，像現在，萬歲爺沈迷於道教，把國家大事置之不理，這眞是『不問蒼生問鬼神』。

以前漢朝的賈誼，一心想爲朝廷做事，卻一再被貶官，好容易漢文帝召見他，旁的不問，淨問一些鬼啊神啊的事，唐朝李商隱同情賈誼，寫了一首詩『可憐夜半虛前席，不問蒼生問鬼神』。

夏言覺得自己與賈誼一般委屈，半夜三更在餵蚊子，明世宗對蒼生沒興趣，一天到晚與天帝溝通，希望飛到天上當神仙。夏言就拿起筆一遍又一遍寫著『不問蒼生問鬼神』。

突然間夏言聽到了窸窣之聲，他大呼：『誰！』這時一旁竄出一個小太監，原來明世宗生性多疑，他派小太監出來探一探，夏言在做什麼。

夏言吼：『你鬼頭鬼腦在幹什麼？』

『沒沒沒，沒事。』太監嚇得舌頭打了結。

夏言身材魁梧，聲如洪鐘，他發起脾氣來很可怕。他與中國傳統的讀書人一般，對太監沒有半點好感，因此太監們見了他就雙腿發抖。

嚴嵩是完全不一樣，他知道，明世宗別的事不在意，就在意值宿寫青詞，因此萬分小心伺候著。

小太監來了，嚴嵩遠遠打著招呼，客客氣氣的請了進來，小心翼翼的伺候著，打探皇帝的飲食，打探皇帝的身體。嚴嵩最厲害的是有一招，他一面講話一面笑盈盈的把黃金塞入小太監手中，笑咪咪道：『不成敬意。』

小太監每次來，每次都不會空手而返，因此小太監離開嚴嵩之時，總是邊跑邊笑，把手上的黃金玩來玩去，心中好樂。

可想而知，當明世宗問起夏言的情況，小太監總是說：『夏大人在睡覺。』

『哼，』明世宗不滿意道：『難怪青詞愈寫愈差，再三重複。』

至於嚴嵩呢？小太監拿了黃金，大大吹捧，明世宗也再三誇獎：『寫得又多又好，眞是十分用心啊。』久而久之，明世宗專寵嚴嵩。

閱讀心得

【第1018篇】嚴嵩的道士冠。

嚴嵩因爲夏言的美言，得以位居高位，親近明世宗。但是嚴嵩並不以此爲滿足，他希望能夠除掉夏言。夏言值宿之時，對小太監如同奴僕一般，嚴嵩卻待若上賓，並且不時的塞一錠小黃金放入太監的衣袖中。當然，拿人的手短，小太監得到了嚴嵩的好處，總是不忘吹噓：『嚴大人對寫青詞十分認真，頭都抬不起來，讓人看了真是好感動。』明世宗也點頭了，他的確寫得又好又多，文字古奧，一般人還真看不懂哩。

至於夏言，小太監則長長嘆一口氣：『還不是又在打瞌睡。』

『嗯，難怪許多文章都是重複的，他還以爲朕不知道哩。』明世宗很不滿意。

『聽說這根本不是夏大人所寫，而是他家中的門客代筆的。』小太監又加上了一句。（所謂門客，古代豪貴之家養的食客稱爲門客。）

明世宗更生氣了：『他竟然膽敢這樣敷衍朕！』

嚴嵩對夏言表面恭順，背後卻不斷找麻煩拆他的臺。夏言身邊的朋友覺得不妙，紛紛警告夏言：『你要小心嚴嵩，這人一肚子鬼。』

『不會的，他是我的同鄉，我們是江西人，他的位子還是我力保的。』夏言一點也不以爲意，並且神氣的說：『昨天他邀我今天去他家喝酒，說是新來的廚子擅長魚翅，我懶得去。』

『那麼，不如去看看，仔細觀察一番也好。』朋友仍好言相勸。

『好！』夏言就坐上轎子直往嚴府。門房見了他都恭謹下拜，夏言揮一揮手道：『不必通報。』

事實上，當夏言轎子還沒有抵達嚴府，早有嚴嵩安排在夏言旁邊的眼線通報嚴嵩，因此夏言直闖而入，『正巧』發現嚴嵩跪在原本夏言該坐的首位之下敬酒，只聽見嚴嵩這位大聲公的嗓門，一次次的重複：『感謝夏大人的提拔，我嚴嵩肝腦塗地，無以爲報。』

夏言走到嚴嵩身後，用力一拍嚴嵩的肩膀，嚴嵩這才裝成剛剛發現似的，驚喜的叫了出來：『您終於還是來了，感謝！感謝！感謝不盡！』嚴嵩用力的在地上磕頭。

夏言回憶道：『當初若不是你跪在我家門口又哭又喊，我也沒機會認識你這個同鄉。』

『可不是嗎？』嚴嵩又講了一堆『恩同再造』之類的馬屁話。嚴嵩跪在夏言門前的往事，乃是嚴嵩心中一大傷痕，夏言竟然一提再提，完全不在意嚴嵩的顏面，嚴嵩恨死了夏言，他一面叩頭一面盤算著該如何徹底擊垮夏言。

夏言完全沒有感覺，回到家，他對朋友說：『你們過慮了，嚴嵩見了我，就成了一隻小狗般，他完全聽我的。』

隔了幾天，明世宗在西苑召見五位大臣，包括首輔夏言、成國公朱希忠、京山侯崔元、大學士崔鑾以及禮部尚書嚴嵩。明世宗自己愛穿道士袍，就也製了五件道袍，以及五頂用沈香木製的道士冠送給五位臣子。

這一回，除夏言外，其他四位都乖乖換上道士衣冠。夏言這人眞不識趣，自己不換也就罷了，竟然還上書明世宗，勸明世宗別穿戴這不倫不類的衣冠。

明世宗見夏言仍穿朝服就火大，再看嚴嵩不但換了道士衣冠，另外用一層黑紗籠在冠上，表示敬意。明世宗一雙眼睛就朝這頂瞄了又瞄，顯然十分欣賞，嚴嵩知道機會來了。

果然，明世宗把嚴嵩單獨留了下來，誇他道：『你戴上這一頂道士冠有神仙之姿也。』

嚴嵩突然跪了下來，放聲大哭：『臣因爲戴這頂冠，被夏大人再三斥責。』

『哦？』明世宗眉毛挑了起來：『對，他連朕換道袍都有意見。』

『還有，臣勸他別老往東宮跑，他竟然……唉……』嚴嵩益發泣不成聲，他知道這一著穩穩的打中了明世宗的心。

古代皇帝手握大權，因此連自己親生兒子也不相信，就怕兒子奪權。明世宗自己身體弱，又不理朝政，老是擔心會有臣子擁太子與他對抗。蔣太后、張太后過世之後，慈慶宮、慈寧宮都空了出來，因此夏言主張，國家財政困難，太子東宮興建新宮需用一大筆經費，不如改慈慶宮爲東宮

府。

這本來是一件小事，但是嚴嵩抓著明世宗對太子的疑心，並且加油添醋的說是夏言與太子走得挺近的。明世宗怒火中燒，對嚴嵩說：『朕自會處置的。』這一晚，明世宗又失眠了，他幻想著太子不軌，氣得吃了兩倍的安神丸依然無法安神。

閱讀心得

【第1019篇】

掏心掏肺與吃心吃肺。

嚴嵩是夏言一心一意栽培的小同鄉，夏言也是嚴嵩一心一意去除的對手。嚴嵩擅長逢迎，夏言剛正不阿，明世宗愈來愈不滿意夏言。

嚴嵩挑撥離間，說夏言與太子走得很近，明世宗一聽這還了得，莫非夏言想要擁立新君，把他擠下皇帝寶座。嚴嵩看到明世宗臉色發綠，難看到極點，心中暗喜。

第二天，嚴嵩又跑去見明世宗，這一回派給夏言的罪名更大了，京師一帶暴雨成災，都是因爲夏言違反了天意。明世宗也就聽進去，下諭旨痛斥：『今日神鬼皆怒，大雨傷了禾苗……』他甚至怪罪言官沒有早日彈劾夏言，簡直是『連一條狗都不如』。

夏言遭到當頭悶棍，不曉得自己犯了甚麼過錯，上疏自請退職，明世宗也就把他革了職，並且怪夏言『深深辜負了朕一片恩遇之禮』。

夏言莫名其妙被革職，回到家鄉江西，嚴嵩替代了夏言的職務，以本官兼武英殿大學士入閣，仍兼掌禮部事，集大權於一手。

夏言眞是難過極了，他覺得自己的心，似乎被小鳥的尖嘴，一口一口咬下嫩肉，流下鮮血。夏言在前往家鄉的路途上，一路喃喃嘆著：『我掏心掏肺，他吃心吃肺。』他不明白，爲何他一片誠心，極力幫助嚴嵩出

頭，嚴嵩卻要恩將仇報，他不明白。

夏言問他一個問客道：『我對嚴嵩這般親愛，甚且爲他改奏章，我是這般愛才，他爲何要算計我？』

門客搖搖頭道：『嚴嵩自認爲才高八斗，天下文章是自己的好，他受不了別人對他一點點批評。再說，嚴嵩的野心極大，他老早視你爲假想敵，我們早就看出來了，唉！』

『可是，他對我是如此恭謹小心，看起來也十分誠懇。』夏言傷心極了。

門客道：『這正是嚴嵩厲害之處哇。』

夏言不再多說，回到家中。任何時候，只要想到嚴嵩，他就覺得小鳥又咬了一口他的心，嚴嵩眞是吃心吃肺呀。

夏言在家待了兩年，他每逢節日與皇上生日，一定奉表爲賀，自己署名爲『草土臣』，明世宗很欣賞『草土臣』這三個字，讓他覺得，『嗯，很好，果然低頭了。』於是，世宗又把夏言找了回來，擔任首輔，嚴嵩碰到夏言，永遠矮一級，又降爲閣僚了。

這一回，夏言鹹魚翻身，重新獲得重用，他當然已經認清了嚴嵩的面目，可是嚴嵩的確演技精湛，完全沒這回事一般，又扮著笑臉，走上去想握夏言的手。

夏言火了，頭一甩，理都不理。

嚴嵩依然不動怒，不生氣，照樣前去拉椅子，小心伺候夏言坐下來。

夏言勉強忍住火氣，他很想抓起嚴嵩的衣領，問一個明白：『我掏心掏肺，你爲何吃心吃肺？』

回到家，夏言自己訝然發現，他一見到嚴嵩，居然還有一種親切感；因爲嚴嵩的笑容太誠懇了，眼中又有一線羞赧；就像當年初識時一般，夏言拿起一顆骰子，望著上面寫的『東』『西』兩個字，他暗暗立誓：『嚴嵩不是個東西，我得小心！』

因爲時時刻刻自我提醒『嚴嵩不是個東西』，因此，他每天自帶飯菜，拒絕與嚴嵩一般食用內膳房爲內閣大臣準備的酒菜。

他們兩人吃飯的情形很妙，嚴嵩坐這一頭，夏言在另一頭，夏言的眼睛絕對不看嚴嵩一下，免得玷汙了自己的眼睛，一個人低著頭，默然的進食，嚴嵩仍然堆起滿面笑容，企圖把菜放到夏言碗中，夏言站起來，大喝一聲：『你幹甚麼？』嚴嵩嚇得不敢再理夏言。

夏言本來嚴肅，本來高傲，此番回來，他對嚴嵩是完全不假辭色，他心中受傷過重，一看到嚴嵩，想起他無情無義，馬上就想起一個字『喙』——鳥的尖嘴，也為了避免鳥的尖嘴再啄心，於是，所有大權，夏言一人獨攬，也不與嚴嵩說一句話。

夏言每次見到嚴嵩，那種嫌惡的表情，彷彿就在昭告全天下人，『我夏言瞧不起嚴嵩』，嚴嵩恨死了，表面上卻不動聲色，夏言手上有一堆嚴嵩貪贓枉法的證據，正想舉發。

嚴嵩知道了，他帶著兒子嚴世蕃來找夏言，夏言不見。嚴嵩又重施故技，拉著兒子長跪大哭，哭得驚天動地，並且哀嚎：『世蕃本來只有一隻眼睛，乾脆另一隻眼睛也哭瞎吧。』

夏言心腸一軟，又出來拉起了嚴嵩父子，他想起了那兩顆骰子，他心想：『我又理嚴嵩了，看來，我才不是一個東西啊！』

閱讀心得

【第1020篇】

曾銑的壯志。

夏言提拔了嚴嵩，嚴嵩卻整垮了夏言，害得夏言回到家鄉，待了三年。後來，明世宗想念夏言，又把他找回來，擔任內閣首輔。夏言決心不再理會嚴嵩，但是，當嚴嵩為兒子嚴世蕃跪在地上求情之時，夏言又心軟了。

夏言回到書房，把玩著骰子，直直的看著『東』『西』兩字，他自嘲道：『我又理會嚴嵩了，我真不是個東西。』

這次回到朝廷，夏言心痛無比，他看到嚴嵩是如何一手遮天，到處伸手要紅包，他眞是後悔提拔了嚴嵩。但是，就算現在夏言手上掌握了證據，皇帝卻是一個極其護短的皇帝，明世宗會辦嚴嵩嗎？他頗為遲疑。過了幾天，都督陸炳利用售鹽貪污，金額數目極大。夏言準備整治，陸炳學著嚴嵩的樣兒，也兩腿一屈，跪在夏言門前苦苦哀求。

夏言覺得好傷心，又好為難，嚴嵩、陸炳都是他重用的人，如今卻做了如此對不起國家的事，夏言摸一摸胸口，又彷彿有一隻小鳥用尖嘴啄他的肉，流出了汩汩鮮血。

夏言搗著胸口沈思；陸炳跪在地上，心中卻十分惱火，在他看來，都是自己人，何必這般不通融。

最後，夏言一揮手道：『算了，你起來吧！』

陸炳不斷的叩頭謝恩，內心卻不以爲然，做官本來就是這麼一回事，誰不拿點外快？

離開了夏府，陸炳直奔嚴府，找到不久前才下過跪，膝蓋還是熱著的嚴嵩，兩人一起大罵夏言：『又不是拿他夏家的錢，擺什麼難看臉色，不通人情之至。』

嚴嵩沈吟道：『我擔心的是議復河套之事啊。』

陸炳回答：『萬一做成就糟了。』

所謂河套，指的是內蒙古和寧夏境內，賀蘭山以東，狼山與大青山以南的黃河沿岸地區，因爲黃河在這兒，形成一個彷彿套子一般的大彎曲，所以稱之爲河套。河套地帶三面臨黃河，土地豐饒，水草茂美，因此有糧倉之稱，嘉靖年間，被蒙古佔領。

兵部侍郎曾銑，曾經平定遼陽，有本領，有大志，他上疏請求出兵，恢復河套。夏言是一個熱烘烘想爲國家做事的人，看到曾銑的奏章十分興奮，大力支持曾銑的計畫，此外，夏言的岳父蘇綱與曾銑是揚州同鄉，對曾銑的爲人十分佩服，更加強了夏言的信念。

曾銑要求朝廷撥數十萬軍餉與調山東、河南之兵增援。明世宗雖然支持曾銑的計畫，但是他一向小氣，便以財政困難爲理由，此事緩議，以後再說。

但是，曾銑是一個急性子，報國心強烈，嘉靖二十六年，蒙古兵侵

擾，居民嚇得不敢外出，曾銑親自挑選了一些銳卒，親自出馬應戰，竟然把蒙古軍擊潰，過了幾個月又出征一次，又是大獲全勝。

捷報傳到了京師，明世宗當然十分高興，也就接受了曾銑建議的恢復河套之舉。曾銑辦事仔細，他又畫了八張布陣圖，包括『騎兵迎戰』、『步兵搏戰』等，明世宗頗爲讚賞。

曾銑受到明世宗的鼓勵，夏言又從旁加油，曾銑更是興奮，積極準備恢復河套。但是，曾銑鋒芒畢露，表現良好，卻讓其他文臣武將喝了一杯醋，酸得發嘔。

陸炳對嚴嵩說：『以曾銑之才幹，以及不要命向前衝的作風，很可能眞的一舉恢復河套，那麼，夏言建此邊功，不但可以穩保相位，甚至能夠名留青史。』

嚴嵩笑一笑道：『別擔心，沒這麼容易的。』

嚴嵩先找來明世宗身邊的小太監，對他們說：『夏大人建議恢復河套，這可危險了。』

『為什麼危險呢？』小太監不懂，『收復失地總是好事啊。』

『這你就不懂了，想以前英宗皇帝之時，也是王振好戰，主張英宗親征，結果英宗被俘！稱之為「土木堡之變」，萬一開戰，蒙古大軍南下，萬歲爺豈不可慮？』

『說的也是。』小太監點點頭，表示贊同。嚴嵩說著，悄悄在小太監手中，塞了一小錠黃金，小太監心中高興，嘴中客氣的說：『不好意思。』嚴嵩笑一笑，又遞上一小錠黃金。

小太監最喜歡赴嚴府，每次都不落空，最害怕去夏府，夏言從來不客氣，更別想要有賞金。既然拿了嚴嵩的好處，不能不幫他說話，因此，小太監把兩錠黃金藏好後，就開始在明世宗耳朵旁一遍一遍的說：『打仗多危險呵，蒙古軍又厲害，誰有把握呢？』明世宗果然心中毛毛的。

閱讀心得

【第1021篇】夏言的遺憾。

明朝大將曾銑建議恢復河套，夏言很支持他的計畫，明世宗也非常獎勵，嚴嵩擔心夏言立了大邊功，因此極力破壞。

嚴嵩見明世宗一臉興匆匆，曾銑又打了兩次大勝仗，他不敢貿然開口，掃了世宗的興。但是嚴嵩知道，明世宗迷信道士，凡事總得問過道士才放下了心啊。

因此嚴嵩對明世宗說：『恢復河套自是美事，何不讓乩仙卜一卜？』

『對呀！』明世宗趕緊找來道士，嚴嵩原已『指示』過道士該如何作答。只見道士擺上沙盤，豎起乩架，焚香禱告了半天，最後拿起乩筆，危危顫顫的寫下了六個字『主兵火、有邊警』。

明世宗看到臉色大變，呆呆的坐了下來。

嚴嵩一見明世宗變臉，立刻落阱下石：『大明朝有家法，不能把整個兵權給臣下，夏大人上奏，請求誓劍，統制各路將帥，這個……』

明世宗最怕臣下攬權，心中更不痛快了，所以原先是他自己支持曾銑的計畫的，一會兒功夫，口風完全變了，他下諭指責道：『以征逐爲名，出師有名嗎？再說就算國家有餘兵，倉庫有餘糧，可以預見成功嗎？曾銑一個人的話可信嗎？老百姓的安危誰又顧到了呢？』

一見到明世宗發了脾氣，嚴嵩馬上上疏，指責曾銑『好大喜功，窮兵黷武。』並且讚美明世宗『救了陝甘百萬生靈』，至於他自己，『雖然身在內閣，但是大小事都無法參與，不能阻止，請求予以處分。』

嚴嵩這一招眞狠，似乎他最考慮聖上安危，夏言完全不顧皇帝生命，明明恢復河套是明世宗自己大力支持的啊，不過，做皇帝的豈會講道理。明世宗一怒之下，曾銑被押解來京，夏言又第二次被趕回家鄉。

夏言、曾銑一心爲國消除邊患，竟然遭此下場，當時的人都爲他們兩人抱不平。

嚴嵩、陸炳見計得逞，十分開心。嚴嵩說：『上一次夏大人回到家鄉，過了兩年，萬歲爺想念他，又把他從家鄉找了回來，這一次難保不會舊戲重演。』

陸炳說：『得想一個方法斷了此路。』

『我有辦法。』嚴嵩笑得陰險；嚴嵩聰明，聰明的人做起壞事來格外厲害。

嚴嵩找到了剛剛被捕下獄的仇鸞，代他擬了一份奏疏：『曾銑曾經吃了敗仗，沒有上報朝廷；曾經剋扣大筆軍餉；曾經拜託蘇綱向夏言行賄。』

明世宗看了，氣得跳腳：『幸虧朕阻止了恢復河套計畫，不過這是眞的嗎？夏言眞的受賄嗎？』

『怎麼不是眞的呢？蘇綱是夏言的老丈人，他與曾銑是小同鄉，都是揚州人。』嚴嵩趕快補了一句話。

『朕還不知道他們有這一層關係，難怪夏言幫曾銑說話。』明世宗憤憤不平，覺得自己受了騙。其實，他眞是腦筋不清楚，蘇綱與夏言是岳婿關係，並不代表夏言就一定受『賄賂』啊，反正世宗容易動氣，一氣起來就亂下決定，他還認爲自己是最公正明理的皇帝哩。

因此，明世宗大怒，把蘇綱捉來審問，由陸炳主審。陸炳用盡了各種刑具，把蘇綱打得體無完膚，最後承認曾經『拿了五千兩曾銑的賄賂款，並且轉了兩萬兩銀子給夏言』。

明世宗更生氣，派人把夏言自家鄉押解到京，夏言簡直不知道自己犯了什麼錯。

嚴嵩知道，明世宗一見到夏言，想起他種種好處，一定還捨不得殺夏言，因此他又塞了一些黃金給太監，拜託他們到明世宗身邊放話。

於是，小太監對明世宗說：『夏言出京時，一路之上都在嘟嘟噥噥的埋怨，說是明明萬歲爺自己贊成出兵河套，又為什麼出爾反爾！』

明世宗這個皇帝最為小器，尤其不能忍受臣下埋怨，他一聽夏言曾經抱怨，立刻血從腦門上衝，下諭責備夏言：『朕把夏言當心腹，夏言又怎麼待君王的？曾銑之事，自己不知道認錯，以前朕賜道士冠，夏言非但不戴，並有怨言。』

最後，夏言以六十七歲高齡，被斬於市。臨死之前，夏言當然知道是嚴嵩一步步嚴密設計出來的毒計。

夏言被五花大綁押向刑場之時，他喃喃自語：『我是冤枉的。』走了幾步，他搖搖頭，『不對，我提拔了嚴嵩，禍國殃民，我是罪有應得啊。我只看到嚴嵩的才氣，沒看到嚴嵩的敗德，看到了也未曾力阻，我是惡有惡報哇！』

閱讀心得

【第1022篇】

丁汝夔上當。

明嘉靖十三年之後，韃靼時時入侵，嘉靖二十五年，總督三邊侍郎曾銑向朝廷建議，應當收復河套之地『以壯中國之形勢，此中興之大業也。』明世宗原先欣然同意，後來，嚴嵩挑撥，加上乩仙的結果不利，他又打了退堂鼓，並且迷迷糊糊的將夏言與曾銑處死。

曾銑是一個慷慨熱情的大將軍，富於謀略，擅長用兵，一心報國，卻被嚴嵩害死，當時的人都爲他感到惋惜。他一死，誰也不敢再開口提起

『恢復河套』，當然，韃靼仍然不斷入寇。

這時候，擔任宣化、大同總兵的人是仇鸞。他原來是甘肅總兵，因爲貪汙被捕下獄，在監牢裡，他找人拎了一大袋白米送到嚴府。嚴嵩的管家把白米扛進來，發現名片上寫的是『敬奉白米』，下款是『乾兒子仇鸞』。嚴嵩當時收了不曉得多少個乾兒子。

他嘿嘿冷笑道：『我還沒有答應當他的乾爸爸哩。』

說著，嚴嵩打開袋子，原來不是什麼白米，而是亮閃閃的三千兩黃金，他笑咪咪的說：『嗯，這一個乾兒子倒是挺孝順的。』於是，仇鸞出了監獄，獲得重用。

仇鸞這個人沒有半點本事，是一個大草包，他篤信一句話『有錢能使鬼推磨』，果然他鹹魚翻身，又成了大將軍。

嘉靖二十九年，俺答入寇，朝廷派遣仇鸞爲宣大總兵，他退敵的方式仍然是『有錢能使鬼推磨』，仇鸞派人送一大袋黃金給俺答：『拜託，拜託，你們攻打哪裡都好，就是不要出兵攻打大同。』

俺答輕蔑的嘲笑：『哎，你們這些中國軍隊啊，沒膽子！』看在黃金的分上，俺答改攻古北口，一路勢如破竹，攻到通州。

這時兵部尚書丁汝夔十分著急，跑來找嚴嵩想辦法。

嚴嵩慢條斯理說：『在邊界上打仗，敗了可以掩飾，還可以假報勝仗，誰也弄不清楚，但是在京師附近，敗了可沒法掩飾。』

『對呀！』丁汝夔頭頂上的汗珠，一顆一顆往下掉，『北京城中的官軍，加起來不到五萬人，而且一半是老弱殘兵，如何能打仗？』

『很簡單，關上門，不打就是了，讓俺答部隊儘量劫掠。反正撈夠了，他們自然就會走。』嚴嵩一副老神在在的模樣。

『對呀！這是個好辦法。』丁汝夔千恩萬謝的走了。回去下令『切勿輕戰』。

這晚軍隊原本聽到韃靼俺答入侵，已經兩隻腳發軟，走起路來搖搖擺，如今接到命令不開戰，個個樂得蹺起二郎腿歇息歇息。

由於明朝軍隊缺席，俺答部隊如入無人之境，通州以下，昌平、諸陵、密雲、懷柔、三河、義順、良鄉以及北京城外的人民就遭了殃，又焚又殺，又搶又奪，老百姓苦不堪言，聽說是丁汝夔下令『切勿輕戰』，因此個個破口大罵：『丁尚書是混蛋。』

此時，各路援軍趕到，仇鸞被任命爲大將軍，他聽說丁汝夔不迎戰，他當然也不開戰。更過分的是，他縱容大同兵隊脫下軍服，跟著韃靼兵趁火打劫，紀律比流氓土匪還壞。

八天後，俺答部隊洗劫一空之後，揚長而去，這時候，仇鸞找了八十多具老百姓的屍體，謊報軍功，說是自己擊敗俺答，這眞是開玩笑，明世宗竟然優詔褒獎，相形之下，丁汝夔完全採取守勢，明世宗大爲不悅，下令逮捕審問。

這時嚴嵩慌了，因爲丁汝夔是照他的話閉門不應戰，若是他源源本本招了出來，嚴嵩豈不也被牽累，因此，他先派人給丁汝夔一顆定心丸：

『你放心去受審，有我在，包你無罪。』

丁汝夔見到明世宗，發現萬歲爺一臉鐵青，他什麼話也不敢說，只心中一遍遍安慰自己：『沒關係，沒關係，有嚴嵩在，不用怕。』丁汝夔應訊時職方郎王尚崇也被牽涉其中。丁汝夔夠義氣的說：『罪在我一人，王郎中沒關係。』

應訊完畢，丁汝夔回到牢中，心中一片平靜。他心想，仇鸞也曾入獄，由於嚴嵩的關係，後來也安然無恙出來了，既然有了嚴嵩的保證，他大可以高枕無憂。

一直到有一天，獄卒來了，他高興的站起來迎接，以為可以回家，洗澡換衣服驅霉氣，結果竟然是『前往菜市口』，也就是帶赴刑場。丁汝夔

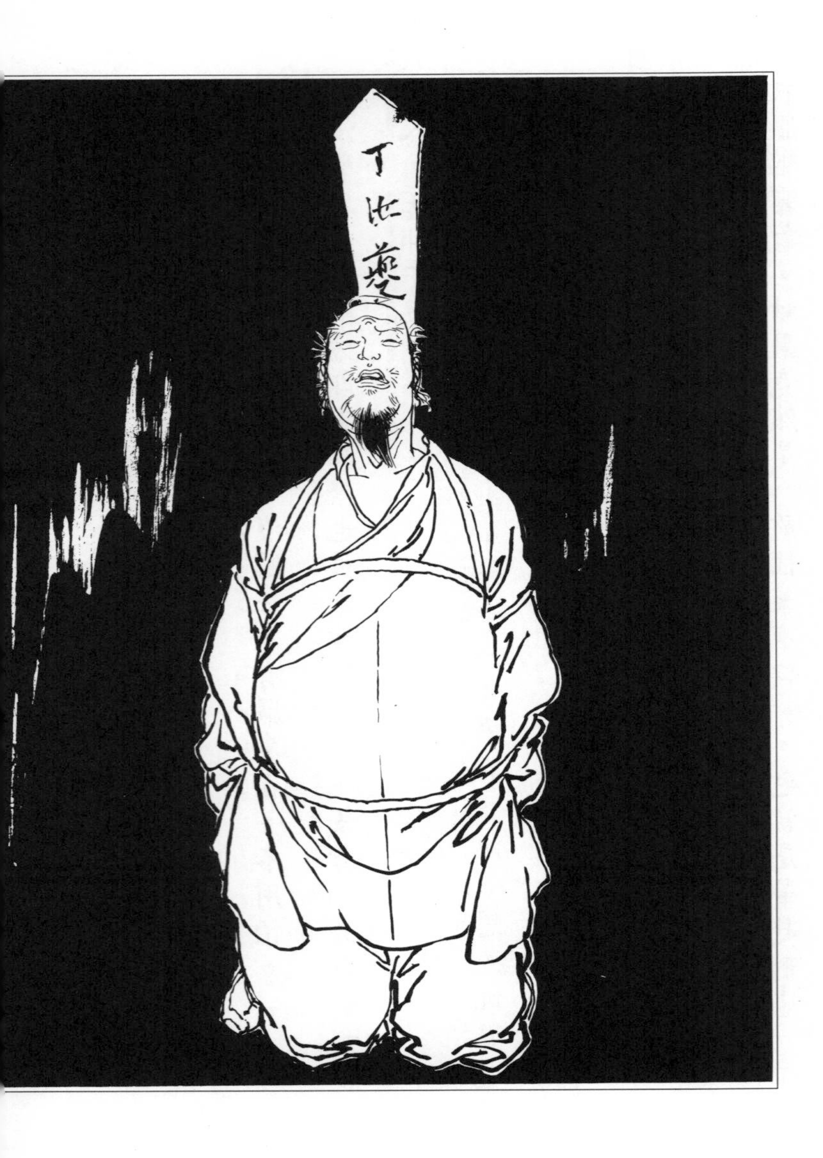
丁汝夔

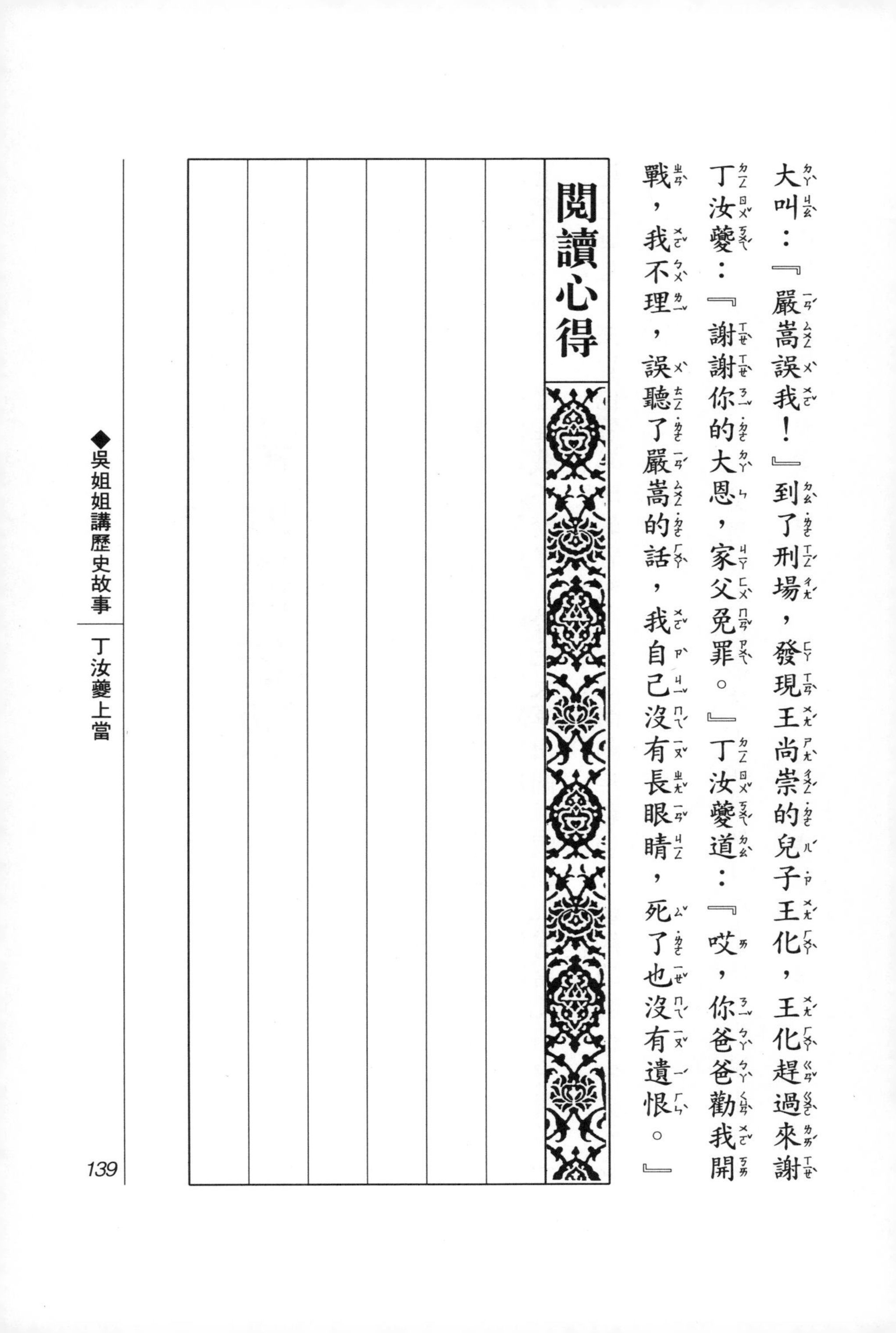

大叫：『嚴嵩誤我！』到了刑場，發現王尚崇的兒子王化，王化趕過來謝丁汝夔：『謝謝你的大恩，家父免罪。』丁汝夔道：『哎，你爸爸勸我開戰，我不理，誤聽了嚴嵩的話，我自己沒有長眼睛，死了也沒有遺恨。』

閱讀心得

【第1023篇】嚴世蕃鬧酒。

俺答入寇，明軍採嚴嵩的方式，放手任憑俺答劫掠。俺答軍搶了太多金銀牛羊婦女，實在載不動了，於是大軍出關。明朝仇鸞藉此機會殺了一些老百姓，假冒俺答軍隊的首級，竟然向朝廷報功，迷糊的明世宗竟然論功行賞，眞是『兵不如匪』。

明世宗對仇鸞的『英勇』大爲嘉許，並且加升爲太保。仇鸞十分得意，向世宗謝恩，拍著胸脯道：『臣將於冬日出塞擊敗虜敵，以報入侵大仇，光我大明朝之威風。」

「好！」明世宗大樂，立刻又宣布，仇鸞入掌三大營，統攝京營，「朕就是需要你這樣勇於任事的人才。」

仇鸞又叩了一個響頭：「臣請求駐紮於宣化大同之間，整頓兵甲，待冬月大舉出塞，以揚國威！」

「好，一切如你所議！」明世宗精神抖擻，龍心大悅，這時候，兵部侍郎史道，户部尚書孫應奎、工部尚書胡於一起磕頭：「願意協助仇大將軍籌備兵事。」

明世宗更樂，一時之間，彷彿消滅俺答的計畫就在眼前。其實，除了明世宗，朝廷內外都知道，仇鸞膽小如鼠，根本沒有驅敵的能力，他最大的本事就是講大話，現在牛皮吹足了，下一步不知道該怎麼走，至於兵部侍郎史道等人，都是隨著明世宗的情緒起伏演演戲，否則，誰掃了明世宗的興，就要大禍臨頭了。

仇鸞志得意滿的走出大殿，嘴角浮著微笑，偏偏一出門，就遇到他最不喜歡遇到的人——他的義父嚴嵩。嚴嵩摸一摸仇鸞的頭道：『兒啊，恭喜你，想你蹲在獄中吃牢飯的時候，沒料到有這麼風光的一天吧？』

仇鸞很討厭嚴嵩摸他的腦袋，他又不是小孩子，他是堂堂大將軍哪，他也最不願意提及在獄中不光彩的一段。他原為甘肅總兵，因為貪汙下獄，後來以三千兩黃金賄賂嚴嵩，拜嚴嵩為乾爹，這才出了牢獄，得以重任。

仇鸞心中不樂，臉上卻漾起誇張的笑容：『這全是拜義父再造之恩。』

『嘿嘿，』嚴嵩乾笑兩聲，故意表示親熱的拉著仇鸞的手，『今晚我要值西苑，萬歲爺要寫青詞，非找我不可，你可以到我家，讓東樓為你賀一賀。』

一聽東樓，仇鸞心就涼了，東樓是嚴嵩兒子嚴世蕃的號，嚴嵩不稱『小兒』『犬子』，反而稱東樓，這絕對不合中國人的規矩的，不過也可以顯現，東樓的地位不凡。

仇鸞沒有不答應的權利與自由，他忙不迭的說『不敢當』，心中卻叫苦連天，他不想待在京裡，與東樓大有關係。

嚴嵩的外貌是高高瘦瘦，白白淨淨，非常斯文有禮，帶有幾分不食人間煙火的韻味，因此，明世宗才特別欣賞他的道士打扮；嚴世蕃的外貌與父親完全不一樣，黑黑粗粗、矮矮胖胖，頸子與腦袋黏在一起，還瞎了一隻眼睛。

嚴嵩與嚴世蕃在一起是可笑的對比，尤其嚴嵩脖子特長，彷彿是一隻昂首的天鵝，嚴世蕃卻沒有脖子，好像是青蛙，但是父子兩人個性一般，明史中用『剽悍陰賊』形容嚴世蕃。

嚴世蕃並沒有參加過科舉考試，但是卻憑著嚴嵩的關係當到了工部侍郎。事實上，嚴世蕃的外號是『小宰相』，他比爸爸這個大宰相還要厲害三分，沒有人不怕他。嚴世蕃自認是『天才』，自誇『頗通國典，暢曉時務』。他也的確是個鬼才，明世宗時常在御札中夾了一張小紙條，嚴嵩總是猜不透，嚴世蕃卻一下便猜中世宗的心事。

嚴世蕃最大的本事就是收紅包，哪個地方油水如何，肥缺如何，他一清二楚，誰也別想瞞他。嚴世蕃還有一項本事——鬧酒，管他是達官貴人，或者是長輩，他非把人家灌到受不了爲止。

仇鸞一聽晚上嚴世蕃要請客，他就心中煩悶，每次都被灌得痛苦萬分。其實，仇鸞也不是沒酒量的人，但是，誰能像嚴世蕃一般，把酒當水喝。

果然，這晚仇鸞升了官，嚴世蕃可不饒他，仇鸞先自己喝了三杯，又罰了三杯。

嚴世蕃突然叫：『唉，你們看，仇大將軍長得像青竹蛇，頭尖尖的，又黑黑的，正好喝竹葉青嘛！』

客人回頭一看仇鸞，嘿，果然臉長得像蛇，一副奸相，誰也不敢笑，嚴世蕃對自己的創見十分興奮，拿著筷子敲桌子道：『來，青竹蛇喝竹葉青。』

仇鸞左一杯右一杯的喝下去，一直喝得大嘔大吐，歪倒在地，不省人事，嚴世蕃這才讓人把僵直的仇鸞抬了回去。仇鸞醒來之後大嘆：『這個官還眞不好做，難怪有人說只見小偷吃肉，不見小偷挨打，做官的苦誰知道哇！』

閱讀心得

【第1024篇】

趙文華得罪乾爸。

明朝嘉靖年間，俺答入侵，大將軍仇鸞不敢迎敵，待俺答劫掠一空、呼嘯而去之時，竟然割下許多老百姓的腦袋去邀功。明世宗這一個昏庸的皇帝論功行賞，令仇鸞入掌三大營，仇鸞大喜，自稱將整頓兵甲，到冬天大舉出塞，以揚國威。

仇鸞一向好說大話，也一向招搖撞騙贏得榮華富貴，但是這個牛皮吹得太大了，當他回到大同，左思右想，一籌莫展，第一，仇鸞根本不會帶兵打仗，他哪有本事擊退俺答，眞是開玩笑。第二，嚴嵩等著他這個乾兒子孝敬大紅包，嚴嵩的兒子嚴世蕃要得更兇，這筆錢不曉得該從哪裡開支。

仇鸞一急之下，背上長了膿，這是他的老毛病，壓力一大就會發作，他一面請醫生看診，一面歎息：『這個官還眞不好做。』

正在此時，俺答提出要求，希望開馬市，就是明朝購買俺答的蒙古馬。仇鸞大樂，他的如意算盤是俺答既然互市，暫時不會進兵，仇鸞自己也能在賣馬之中抽取油水。明世宗也批准了開馬市。

嘉靖二十六年，楊繼盛上書，反對開馬市，認爲與俺答做生意不可靠，果然過沒多久，俺答送來的馬又瘦又小又弱，連小孩子都不能騎，卻要求極高價格，雙方鬧得不開心，俺答再次入侵。

仇鸞更急得團團轉，一驚一嚇，他背上的膿又發了，痛得輾轉難眠，他不曉得該如何應付眼前的危急，也缺乏了求生的鬥志，因此原本是小病，居然一命嗚呼。

狡猾的嚴嵩擔心會受到乾兒子仇鸞的牽連，他先發制人，祕密上疏，揭發仇鸞通敵。明世宗提了仇鸞的親信審問，發現仇鸞果然曾經賄賂俺答。雖然仇鸞已經死了，明世宗可不饒他，下令敲開棺木，割掉腦袋，仇鸞的牛皮終於還是拆穿了。

仇鸞是嚴嵩的乾兒子，顯然，嚴嵩一向不顧念父子之情的，看在其他乾兒子們眼中，自然十分心寒，其中一個乾兒子趙文華決心自找門路，自求發展。

趙文華是嘉靖八年進士，個性奸滑，拜嚴嵩爲義父，嚴嵩保他升爲工部尚書。他想要入閣拜相，越過嚴嵩，直接去拍明世宗的馬屁，趙文華進了一種藥酒的方子，他誇大道：『這是神仙傳授，喝了這種藥酒，可保不死。』趙文華爲了怕明世宗不相信，他還特別加了一句話：『這神仙之方只有嚴嵩與臣子知道。』

不料明世宗的反應是：『嚴嵩有這樣的方子，爲甚麼不趕忙進呈給朕？』明世宗喝完百花仙酒，覺得十分甘醇，就下了條子責問嚴嵩。

嚴嵩嚇壞了，立刻婉言解釋：『臣生平不喝藥酒。』然後轉身痛責趙文華；趙文華跪在地上，哭哭啼啼，堅持沒這回事。嚴嵩把趙文華進藥酒

的方子往地上一扔，氣呼呼的走了。

趙文華心想，這下子糟了，得罪乾爸爸豈是好玩的事，立刻趕到嚴府道歉。門房見到趙文華，不准他進入，趙文華連忙摸出幾錠黃金，門房才放他進來。

這一天，嚴嵩與兒子嚴世蕃、嚴鵠、嚴鴻和一批乾兒子們正在開懷暢飲，趙文華不敢進來，躲在窗子外面。

歐陽夫人陪著老爺喝著酒，突然問：『文華怎麼沒來？』

『哼！這個負心的奴才，哪得在此？』嚴嵩冷笑道。

歐陽夫人平日接受不少趙文華的孝敬，少不得爲他講講情，說一說好話，這時躲在窗外的趙文華，推開了門，一路膝行跪到了嚴嵩跟前，哭個不休。嚴嵩不耐煩，勉強把他扶起一塊兒入座，但是心中仍然不諒解。

除了嚴嵩之外，嚴世蕃也在心中怪趙文華不夠意思；因爲趙文華這一回自浙江回來，送給乾爹乾媽的禮頗爲厚重，但是對嚴世蕃的禮，世蕃嫌不夠。

趙文華送嚴世蕃一頂『金絲幕』。嚴世蕃認爲漂亮是漂亮，頂多幾十兩黃金。另外，趙文華送嚴世蕃二十七個姨太太一人一個『寶髻』，就是頭上戴的點翠鍍金玉簪髻，二十七個應該也花了不少銀子，可是姨太太們不滿意，嚴世蕃也嫌趙文華小氣。

於是父子兩人，決心給趙文華教訓。

正好過了兩天，明世宗在宮中散步，遠遠見到宮外長安新街起了一座雄偉的大宅，就問侍從：『這是誰的宅第？』

『趙尚書新宅也，工部大木頭都拿來蓋大宅了，難怪西苑新閣至今未完工。』明世宗不悅。嚴嵩知道消息，建議趙文華上書請求病假一個月，而明世宗早就規定在他齋祀期間，誰也不准上疏奏事，因此趙文華上書，不但准予罷官，並且削職爲民。趙文華被乾爸爸捅了一刀，愈想愈傷心，竟然在船中肚皮裂開，五臟流出來，當場斃命。嚴嵩與乾兒子們，彼此以利害結交，豈有甚麼眞情眞義呀？

閱讀心得

【第1025篇】

沈鍊放炮。

嚴嵩、嚴世蕃父子兩人狼狽爲奸，朝廷人人自危，尤其嚴嵩義子趙文華，因爲送嚴世蕃二十七個姨太太的禮送得輕了，嚴嵩父子聯手報仇，將趙文華送上了西天。

消息傳出之後，人人自危，趕緊紛紛送禮到嚴府。嚴氏父子不只是逢年過節收禮，他們是天天等著官員送禮。嚴世蕃興趣廣泛，不論古董、奇器、書畫、黃金、珠寶都喜歡，尤其不能忘記，他有二十七個姨太太，每個都不能少收一份禮。

因此，嚴府門前，日日夜夜水洩不通，遠遠望去，一排一排送禮的箱子，眞是非常壯觀，整個街道全被塞住了，大家都敢怒不敢言。

有一天，來了一個叫沈鍊的，相貌英挺，一臉正氣，他側著身子走過送禮行列，用手敲一敲木箱道：『這又是送給嚴世蕃的古董吧，想必價值不凡。』

挑夫擋住沈鍊的手：『你小心點兒，弄壞了你可賠不起。』

沈鍊道：『實在不像話，這樣大規模的收禮，送禮的人又要貪汙多少才能孝敬嚴世蕃。』

挑夫撮起嘴唇道：『小聲點。』

『我偏要說，這會敗壞整個國家的根基。』沈鍊嗓門更提高了。挑夫不以爲然的回答：『你別儘對我們這些下人說，有本事你就直接對嚴府的人開炮。』

『你以爲我不敢嗎？』沈鍊揚長而去。

沈鍊走遠了，一些挑禮物來的家丁挑夫們聚在一起討論：『這個小子口氣不小，他是甚麼人，最近是不是不小心吃了老虎膽？』

一位陸炳家的家丁說：『我曉得他，我家老爺很欣賞他，這人叫沈鍊，嘉靖十七年進士，官職很小，不過是錦衣衛經歷，志氣卻不小，敢講話，很有正義感。』

沈鍊一路走，一路憤憤不平的自言自語：『嚴嵩、嚴世蕃目無法紀，陷害忠良，就是因爲沒人教訓他們，我逮到機會，絕不放過。』

過了兩天，嚴世蕃請客，請了錦衣師陸炳。陸炳因爲愛才，喜歡沈鍊，就把沈鍊給帶了去。沈鍊見嚴世蕃就討厭，這倒不是因爲嚴世蕃黑黑胖胖，沒有脖子。一個人的五官長相不是重點，重要的是氣質談吐，嚴世蕃滿臉橫肉，酒色財氣，妄自尊大，俗不可耐到了極點，偏偏還要附庸風雅，表示自己有藝術品味。

嚴世蕃一向愛鬧酒，這天晚上相中一個林公。林公正準備退休了，人長得瘦瘦小小，十分畏縮恐懼，他已經被命令喝了五杯酒，整個人搖搖晃晃的。

終於林公『哇！』的一聲，吐了出來，又害怕又驚恐，拉著衣袖子擦

拭嘴角。

嚴世蕃不放過林公，他又遞過一杯酒道：『嗯，再來五杯吧。』

沈鍊看不下去，他一把奪過嚴世蕃的酒杯，不客氣的指責道：『世蕃兄，你也是讀過書的人哪，一點也不懂得敬老尊賢嗎？』

嚴世蕃從來沒有被人指責過，臉上一陣青一陣白，訕訕不敢開口。

沈鍊出了嚴府，一位朋友周久拍著他的肩道：『算你行，不過，你敢向皇帝報告嚴氏父子的罪行嗎？』

沈鍊拍著胸脯道：『哎，天下事，大臣不言，故小吏言之。』

當天晚上，沈鍊喝了幾杯酒，想起嚴嵩父子禍國殃民，愈想愈氣，流淚不已，鋪開紙筆，一條一條寫下嚴嵩的罪狀，一共洋洋灑灑寫了十條之多，最後請求皇帝誅戮奸臣，以謝天下。

明世宗正重用嚴嵩，看了奏疏，勃然大怒，派沈鍊一個『詆誣大臣』的罪名，打了一頓之後，貶到保安（今陝西志丹縣）。

沈鍊求仁得仁，到了保安，當地居民聽說這人是英雄，因爲痛罵嚴嵩被貶官，個個欽佩，馬上有人領自家的孩子來，請沈鍊當老師，教育鄉中子弟。

沈鍊走到哪兒，都有人指指點點：『這人就是有忠義大節的沈老師。』沿途不斷有人對他鞠躬，眼神中全是崇敬。

沈鍊教學生講經書，也教學生練武功。他用稻草捆成三個稻草人，分別掛上三個牌子『李林甫』、『秦檜』與『嚴嵩』，李林甫是唐朝的奸臣，造成安史之亂，楊貴妃因此死於馬嵬驛。秦檜是宋朝的奸臣，岳飛死在他手上。每天一大早，鄉里子弟就習射箭，常常聽到：『哇，我射中嚴嵩了！』『哇，我射中秦檜了！』此起彼落，興奮異常。

沈鍊既炮轟嚴氏父子，又射了命名爲嚴嵩的稻草人，最後當然被嚴嵩以『白蓮教徒』的罪名問斬，不過，後來嚴嵩失敗之後，沈鍊也被平反，追贈光祿少卿。沈鍊知道自己一定會犧牲，他只是希望表彰一絲正氣，他無怨無悔。

閱讀心得

【第1026篇】

楊繼盛爭取讀書機會。

明朝嚴嵩、嚴世蕃父子禍國殃民，明世宗卻一意護短，誇獎嚴嵩是『忠心、誠懇、敏捷、通達』。繼沈鍊之後，另一反對嚴嵩的主要人物是楊繼盛，他也是中國歷史上赫赫有名的大人物。

楊繼盛有原則，有擔當，擇善固執，他的這個特質從小時候就表露無遺。楊繼盛七歲的時候，母親過世，父親新娶的後母看他不順眼，時時找麻煩，並且派他去牧牛。

楊繼盛每天牧牛時，經過私塾，看到其他小朋友在讀書，在搖頭晃腦唸三字經：『人之初，性本善——』他就也跟著唸，一邊牽著牛走，一邊戀戀不捨的回頭望了又望，眼神之中充滿羨慕，鄰里中的人看見了，拍著家中小毛的頭道：『要你唸書，你一臉不開心，看看楊家的小孩想讀書卻不能讀，多可憐哪！』

於是，又有好心的叔伯告訴楊繼盛的哥哥，楊大哥對繼盛說：『你這麼小，能學到什麼？』

『因為年紀小，就應該去牧牛，不應該去讀書嗎？』楊繼盛不以為然的搶白道。

楊大哥被楊繼盛一臉莊嚴給嚇愣了。他回去稟報父親，父親不希望鄰

里人說閒話，勉強答應，後母在旁邊插嘴道：『可是，牛還是得歸他放牧。』

就這樣，楊繼盛每天起得更早，先帶著牛去山上吃草，再到私塾，把牛繫在樹幹旁，跟著其他小朋友一塊兒讀書。每天在私塾中的一兩個時辰是楊繼盛最快樂的時光。由於讀書的機會是他費心爭取到的，因此格外用心學習。

回到家，後母總是派他一堆工作，嘮嘮叨叨的罵個不完，父親不聞不問，彷彿沒生下這一個兒子，整個家中沒有一絲絲溫暖；但是楊繼盛不以爲意，他總是表面沈默，心中一遍一遍背書。

嘉靖二十六年，楊繼盛考中進士，授爲南京吏部主事，這時他與尚書韓邦奇感情極佳，兩人都是無書不讀，同時又愛好音樂。楊繼盛的音感很好，曾經自己製造簫管，送給韓邦奇，韓邦奇一試吹之下，大驚道：『這是我吹過最準的音調，你哪兒學來的功夫哇。』由於韓邦奇是當時的樂理權威，寫了許多音樂方面的專論，他的肯定讓許多人對楊繼盛刮目相看。

這時候的楊繼盛也結了婚，夫人張氏十分賢慧，文雅美麗，知書達理。繼盛吹簫，張氏歌唱，夫妻之間相敬如賓，楊繼盛的家庭生活美滿和樂。

楊繼盛其實大可以吹吹簫，寫寫詩，與張氏過著美麗的神仙眷侶生活；但是，他辦不到，他每次想到嚴嵩父子，他就忍不住勃然動怒，張氏總是好言好語的勸他：『生氣又有什麼用，天下誰不知嚴嵩爲惡？』

『話不能這麼說，』楊繼盛不以爲然道，『我身爲讀書人，身爲朝廷官員，我不能坐視，必須盡我一分力量。』

沒多久，楊繼盛調升爲兵部車駕司郎中。這時仇鸞打不過俺答，想出一個餿主意，希望俺答賣馬給明朝，這樣，雙方有生意往來，俺答就不會出兵攻打，仇鸞也就能安保大將軍的位子了。

楊繼盛腦筋清楚，思路明暢，他提起筆來就寫了『十大不可，五大荒謬』的上疏分析這件事不可能成功的理由，例如：

——如果俺答違約不來，或者是來了，卻帶來陰謀伏兵該如何？

——或今天做了買賣，明天又發動戰爭，或以老瘦馬要求奇高的價格又怎麼辦？

——或邊鎮將帥因爲這個原因懈怠兵事，如何是好？

總之，楊繼盛一氣呵成寫得頭頭是道，強烈堅持堂堂中國斷斷不能答應互市。但是，明世宗看了卻相信仇鸞的話，把楊繼盛貶爲甘肅臨洮以西的狄道縣擔任典吏。楊繼盛雖然失望，他還是覺得，説了自己該説的話，坦坦蕩蕩前往甘肅。

楊繼盛到了甘肅，他想起小時候自己想讀書卻沒法讀書之苦。於是，他把自己的車馬賣了，張氏也把首飾賣了，請來老師，挑選一百多個優秀的小朋友辦起學校。這些番民看多了耍威風的地方官，沒見過楊繼盛這種好人，暗地稱他爲『楊父』。

狄道縣有一座煤山，長久以來是番民佔據，縣民買不到煤，總得到兩百里外去買煤，非常不方便，所以，楊繼盛把番民找來商量。番民說：『不要說是煤山，既然楊父開了口，我們把帳棚送上，也心甘情願，我們還不知道該如何感謝楊父教育我們的子弟。』

楊繼盛淺淺笑道：『沒什麼，我童年時爭取讀書機會不容易，想上進的孩子總該有人幫忙啊！』

閱讀心得

【第1027篇】

楊繼盛彈劾嚴嵩。

明朝嚴嵩父子禍國殃民，明世宗卻始終寵信嚴嵩以及嚴嵩的乾兒子們，他其中一個乾兒子仇鸞因為打不過俺答，想出一個向俺答買馬的主意，楊繼盛反對，因此被貶到了甘肅。

但是，過了一兩年，楊繼盛當初擔心的種種不幸而言中，俺答經常藉著送貨大舉入侵，甚至直入城堡，姦辱婦女，仇鸞一點辦法也拿不出，發了背疾，沒多久就嗚呼哀哉了。

這個時候，明世宗想起了當初反對仇鸞的楊繼盛，把他調升爲山東諸城知縣。嚴嵩也看出來楊繼盛是個人才，也想把他收過來，成爲另外一個乾兒子。

嚴嵩的效率是很高的，楊繼盛新官上任，一個多月之後，調爲南京戶部主事；過了三天，升爲刑部員外；馬上又改爲兵部武選司郎中，這是國家專門管國防軍事的人事主管，不但權力極大，而且是個肥缺，多少人想都想不到的美差事。

嚴嵩對嚴世蕃說：『現在，就等著他登門道謝了，一年之中連升四級官，我對他不算不厚，就看他該如何報答了。』

嚴嵩這一回卻是看走了眼。楊繼盛痛恨仇鸞，他更痛恨嚴嵩，他天天在家罵嚴嵩，只是嚴嵩不知道，就算是嚴嵩一年之中升他四次官，楊繼盛可不會因爲個人的恩惠忘掉嚴嵩的大奸大惡。

楊妻張氏十分擔心，她總是說：『不如我們辭了官，歸隱田園，過神仙生活去吧。』

『我辦不到。』楊繼盛痛苦的閉上眼睛道：『天下百姓受嚴嵩之苦太久了，我連作夢都在寫奏章彈劾這個大奸臣，就是歸隱，我腦中也全是嚴嵩啊。』

張氏不再多言，她的情緒十分複雜，她欽佩丈夫的勇敢，她也擔心他的安危，誰能鬥得過嚴嵩呢？

楊繼盛爲了慎重，齋戒三天，然後寫成了傳誦千古的〈請誅賊臣疏〉，列舉了嚴嵩十大罪，一、破壞祖宗的成法，無丞相名稱，而有丞相的權力。二、竊取君上的大權，群臣畏懼嚴嵩甚於皇上。三、掩蓋君上的功業。四、放縱兒子嚴世蕃做惡，代擬奏章，所以京師有『大丞相、小丞相』之歌謠，嚴世蕃憑什麼當小丞相？五、嚴嵩孫子嚴效忠、嚴鵠都是乳臭未乾的小子，沒上過一天戰場，竟然冒領軍功。六、嚴嵩聯合仇鸞勾結俺答，後來又與仇鸞故意劃清界線。七、延誤國家軍機，使得兵部尚書丁汝夔不敢出兵。八、官員升遷完全由嚴嵩一人掌控，內外大臣被嚴嵩中傷的無法計算。九、文武官的遷擢，取決於奉送嚴嵩紅包的多寡。

最後第十點，楊繼盛更是語重心長：『自從嚴嵩用事以來，風俗大變，守法者似乎是笨蛋，擅長鑽營被認爲才能，從古到今，風俗之敗壞沒

有比現在更惡劣的了。就因爲嚴嵩好利，天下人都好貪；就因爲嚴嵩愛拍馬屁，天下人都爭先恐後拍馬屁。假如源頭不乾淨，河流又如何能夠清澈呢？』

另外，楊繼盛又具體列出了嚴嵩五大奸，甚至不客氣的批評自己恩師徐階：『平日受陛下信任，碰到事情，依然照著嚴嵩的意思，不敢主持正義，簡直是負國。』『陛下如果不信臣言，也可以問一問裕王、景王，或其他閣臣。』他的結論是『陛下爲何愛惜一個賊臣，忍心讓百萬蒼生陷於生靈塗炭之中？』

楊繼盛寫完了，把奏疏交給張氏看，只見她一面閱讀，一面頻頻點頭，顯然是贊同楊繼盛的觀點。

張氏看完了，由衷的讚美：『痛快淋漓，正氣磅礡，決非一時衝動，寫得冷靜透徹。』

『但是，』張氏念頭一轉，滴下兩行清淚，轉身抱緊了楊繼盛，哽咽道：『這樣的奏疏一上去，我怕……我怕我們就永訣了。』

楊繼盛也哭了，他難過的說：『但願陛下能夠清醒，畢竟希望不大，至少讓嚴嵩知道，仍然有人敢講眞話；至少讓天下人知道，大明朝的臣子不是全爲嚴嵩的鷹犬。』他看著張氏，用手指擦去她臉上的淚痕，滿懷抱歉的說：『不要傷心，我們這麼恩愛，下輩子一定再結夫妻緣，到那時，你唱歌，我吹簫，我一定對你很好，彌補我今生對你的愧疚。』

『不，不要，我不要與你分別，我不要你下獄受苦，你這篇奏疏這麼厲害，不曉得他會用什麼方法對付你。』張氏抱緊楊繼盛，著急的喊著，彷彿已看到了楊繼盛悲慘的未來。

『哎，我寫奏疏之前，焚香沈思三天，在這三天之中，我什麼都想過了。』楊繼盛撫著張氏的肩：『你不用為我擔心，我只是對不起你。』

『你非要名留青史，流芳萬世嗎？那比我們在一起重要嗎？』張氏仰頭問。

『我一點也不在乎身後名，我只是不能拋棄我的責任感。』楊繼盛的表情是那麼莊嚴、平靜、坦然、安定，他選擇了他的道路。

閱讀心得

【第1028篇】

忠魂楊繼盛為自己動手術。

明世宗寵信嚴嵩，朝政大壞，楊繼盛爲了國家安危，彈劾嚴嵩，人心大快。

明世宗原本是個小器自私的皇帝，否則他也不會重用嚴嵩。他看了楊繼盛的奏疏，愈看愈生氣，覺得自尊心受到了侮辱。他一點也不以爲大權旁落，在他看來，嚴嵩只是皇帝身邊的跟班跑腿，楊繼盛竟然用近乎指責的口氣寫奏疏，實在太可惡！

明世宗把楊繼盛找來問話，由於楊繼盛條條列舉十大奸五大惡全是有名、有姓、有時間、有地點的具體罪證，明世宗心中曉得，不好責問。因此故意挑剔：『你奏疏之中要朕問裕王、景王，你是想導引皇子過問國家大事嗎？』裕王、景王都是明世宗親生兒子，當皇帝的人不相信任何人，連自己的兒子都成了假想敵。

楊繼盛的回答是：『除了裕王、景王，誰不怕嚴嵩？』

楊繼盛的話頂得明世宗不敢開口。明世宗瞄一眼楊繼盛，他不喜歡楊繼盛，他討厭楊繼盛身上那一股正義不屈、自以為是、凜然不可侵犯的味道。他喜歡嚴嵩那種小心謹慎，唯恐不小心觸怒皇帝的狗奴才氣息。明世宗微微冷笑，把楊繼盛關入了獄中。

這一回，楊繼盛來北京之前，他的親朋好友都知道此去不祥也。其中一位朋友熱心的提來一副大錦蛇的膽，據說此膽乃爲最佳止痛劑，張氏千恩萬謝。

楊繼盛卻不肯接受，他說：『椒山自有膽，何用蛇膽？』椒山是楊繼盛的號。

朋友走了，張氏溫柔的對楊繼盛說：『你受刑前還是吃了吧，就算爲我吃了不行嗎？』

楊繼盛輕輕的撫摸著張氏的頭髮：『未來的刑杖有多少？該有多少副蛇膽才夠用？』

一聽此言，張氏又別過身去擦眼淚。

楊繼盛被提審之時，外面人山人海，爭先恐後一睹大英雄，只見他意態從容，舉止瀟灑，紅光滿面，沒有一點失意惶恐不安。一位老婆婆見他手上的刑具，悄悄對孫兒說：『這刑具該戴在另外一個人手上。』

孫兒接近了奶奶身邊，小聲的說道：『該戴在嚴嵩手上。』

沒多久，楊繼盛開始挨打了，由於嚴嵩交代過，打得特別重，一聲一聲的落杖聲，也敲在每一個人的心版上。明世宗以爲這可以表示他的權威，嚴嵩以爲這可以讓人們曉得他的厲害，其實，這是讓人們更欽佩楊繼盛的精神，到底天地有正氣啊。

楊繼盛意態從容的走進去，卻是整個人昏厥過去被抬了出來！有人想他死定了，人群之中開始有人嚶嚶哭泣，一人哭，兩人哭，接著，整個哭

聲一片，其中哭得最傷心的，當然是他的愛妻張氏。

楊繼盛被抬入獄中，獄卒知道他是楊繼盛，先恭敬的深深一揖，此時楊繼盛仍是昏厥不醒，獄卒暗呼：『可憐。』

到了半夜，楊繼盛痛醒過來，發現自己大腿打爛的肌肉，發炎潰爛流著黃膿，他皺了一下眉頭，決心爲自己動手術。楊繼盛環顧四周，看一看沒有尖銳的用品，看到了一碗白飯，那是他的牢飯，他沒有任何胃口，把飯給先倒了，『哐！』的一聲，打碎了瓷碗。

獄卒聽到聲音，趕快提著燈來看。只見楊繼盛拿起碎片，正在刮腐肉，獄卒看著可怕，大呼：『這太痛了！』楊繼盛不慌不忙，把腐肉刮乾淨了，剩下的筋膜刮不乾淨，乾脆用手拉斷。

獄卒見到此景，嚇得瑟瑟發抖，手上的燈幾乎也打翻了，他又對楊繼盛深深一揖：『你眞是漢子！』

第二天，獄卒到處逢人就說，人人稱奇，都說：『這比《三國演義》中關公刮骨療傷還要偉大，何況他是自找的，他眞是中國的英雄。』

楊繼盛入獄三年，明世宗已忘掉了這個人。嚴嵩也懶得理睬，但是百姓忘不了他，這時有人同情楊繼盛，跑到嚴嵩那兒說情，嚴嵩的黨羽提醒嚴嵩：『當心養虎爲患，楊繼盛的民間聲望不小哇。』於是嚴嵩動了殺機。

楊繼盛入獄三年，張氏也傷心痛苦了三年，不過，到底人還活著，就留著一線希望。她聽說了嚴嵩的命令，伏闕上書，希望『斬臣妾的首，以代替夫死』，當然，嚴嵩不會答應她。楊繼盛夫妻眞正是伉儷情深。

楊繼盛終於求仁得仁，嘉靖三十四年被斬，年僅四十歲。天下哀泣，然而公道自在人心，楊繼盛身後顯名，古今言官之中無人能比，據說北京松筠庵中，迄今刻有他彈劾嚴嵩的千古奏疏，以及他臨死的絕筆：『浩氣還太虛，丹心照千古，生平未報恩，留作忠魂補。』

好一個中國忠魂啊！

閱讀心得

【第1029篇】

徐階沉得住氣。

楊繼盛因爲彈劾嚴嵩，同時惹惱了明世宗與嚴嵩，在嘉靖三十四年十月裡斬首。

當天，菜市場擠得水洩不通，楊繼盛的英勇聲名遠播，人人心中爲他喊冤，也欽佩他敢於反抗嚴嵩，想一睹英雄人物的廬山眞面目。由於個個希望看個清楚，前擠後推，秩序大亂，直到差役舞起皮鞭，往人叢中砸了過去，這才安靜下來。

楊繼盛的愛妻張氏原也在人群之中，她是等不到正式問斬，她悄悄的離開了人群，回到家中，她在心中對楊繼盛說：『這麼多人哀悼你，欽佩你，也是求仁得仁，你也是一種解脫了。』可是一想到當時楊繼盛吹簫，她輕聲低唱的往日恩愛，張氏的眼淚仍然不爭氣的一顆一顆往下滴。

這時，楊繼盛的朋友周冕走了進來，安慰張氏：『別再傷心了，繼盛眞了不起，你看他的遺詩：浩氣還太虛，丹心照千古，生平未報恩，留作忠魂補。萬歲爺糊裡糊塗殺了他，還有什麼未報之恩？他這個讀書人，未免傻得可愛。』

張氏苦笑，沒有回答，她想說的是：『你們不明白繼盛的想法，他是忠於國，不是忠於君，嚴嵩才是只忠於君。他所謂的恩是指對妻子、對朋友、對國家的未報之恩啊！』

張氏閉上眼睛，長嘆一口氣，嘴角卻漾起了微笑：『無論如何，繼盛所寫的〈請誅賊臣疏〉將流芳百世，雖然他只想盡一份責任，他不在乎任何名聲。』

周冕也同意，他說：『每講一回，我就熱血沸騰，楊兄不愧爲一漢子也。』周冕話題一轉道：『想不到他連徐老師徐階也批評了。』

張氏說道：『繼盛一向不滿意他明哲保身，缺乏正義感。』

周冕又說：『繼盛批評徐師是負國之臣，話未免太重了吧！』

『我也有同感。』張氏輕輕搖一搖頭。

楊繼盛被殺一事，其實，身爲老師的徐階比誰都難過，但是他不敢伸出援手，因爲楊繼盛的脾氣太烈了，皇帝與嚴嵩絕饒不過他的。徐階一樣也痛恨嚴嵩，但是他知道，如果硬碰硬，準死無疑，小不忍則亂大謀也。

這一夜，徐階整晚無法闔眼，腦中翻來覆去全是楊繼盛在寫給皇上奏疏中的『大學士徐階蒙陛下的拔擢，仍然不敢主持正義，每件事都依嚴嵩之意，不能不說他是負國。』

徐階覺得好冤，他其實不是負國之臣，只是時候未到，還扳不倒嚴嵩。

徐階想起他的老師夏言，夏言臉上彷彿寫著『我瞧不起嚴嵩』，果然被嚴嵩給害死了。徐階又想起楊繼盛，這一個他最欣賞疼愛的學生，楊繼盛臉上好像寫著『我與嚴嵩不共戴天』，沒多久，嚴嵩又害死了楊繼盛。

想到這裡，徐階趕緊下床，對著鏡子，扮一個笑臉，自言自語道：『我可不能讓嚴嵩察覺到我對他的厭惡啊。』

徐階開始打坐調息，他需要獨處，需要安靜，需要力量，他一遍一遍對自己說：『要做大事，要沈得住氣。』

徐階從小知道，必先保護自己，才能成就大事，否則，一切全是空談。他一歲的時候，不小心掉到井裡去，被打撈上來之後，大人都以爲他沒救了，死馬當活馬醫，過了三天，他竟然又醒來了，大人都說：『這個小孩命大。』

到了徐階五歲的時候，跟著父親去爬山，一不小心，踩了個空，直往懸崖下墜落，他父親蒙著眼睛不敢看，不料，徐階居然衣服被樹枝勾到，因此撿回一條小命，家人都說：『兩次大難兩次不死，必有後福也。』

嘉靖二年，徐階中進士，被任命為翰林院編修，這一段期間，他與王陽明的門人走得很近，徐階十分欽佩王陽明，他尤其讚佩王陽明的『致良知』——凡事先問一問良心。

有一次，明世宗採納張孚敬的建議，打算刪去孔子王號，並且修改祭祀的禮儀，徐階站出來嚴厲反對。

張孚敬火冒三丈，把徐階找來臭罵，『你竟然背叛我。』

『我又沒有依附你，怎能稱之為背叛？』徐階立刻還以顏色。

因為這個原因，徐階被降了官，但是不久又先後赴黃州、浙江、江西任職，政績很好。

徐階長得白白淨淨，瘦瘦小小，十分斯文有禮，臉上永遠掛著微笑，自從與張孚敬起了衝突之後，徐階自己反省，逞一時之快無濟於事，必須沈得住氣。

徐階以王陽明的致良知自勉，他對自己說：日久見人心，他會用事實證明自己絕非負國之臣。

歷代‧西元對照表

朝　　代	起迄時間
五帝	西元前2698年～西元前2184年
夏	西元前2183年～西元前1752年
商	西元前1751年～西元前1123年
西周	西元前1122年～西元前 771年
春秋戰國(東周)	西元前 770年～西元前 222年
秦	西元前 221年～西元前 207年
西漢	西元前 206年～西元 8年
新	西元 9年～西元 24年
東漢	西元 25年～西元 219年
魏(三國)	西元 220年～西元 264元
晉	西元 265年～西元 419年
南北朝	西元 420年～西元 588年
隋	西元 589年～西元 617年
唐	西元 618年～西元 906年
五代	西元 907年～西元 959年
北宋	西元 960年～西元 1126年
南宋	西元 1127年～西元 1276年
元	西元 1277年～西元 1367年
明	西元 1368年～西元 1643年
清	西元 1644年～西元 1911年
中華民國	西元 1912年

國家圖書館出版品預行編目資料

全新吳姐姐講歷史故事. 48. 明代/吳涵碧 著.
--初版.--臺北市；皇冠，1999〔民88〕
面；公分（皇冠叢書；第2945種）
ISBN 978-957-33-1645-9 （平裝）
1. 中國歷史

610.9 88007060

皇冠叢書第2945種
第四十八集【明代】

全新吳姐姐講歷史故事〔注音本〕

作　　者—吳涵碧
繪　　圖—劉建志
發 行 人—平雲
出版發行—皇冠文化出版有限公司
台北市敦化北路120巷50號
電話◎02-27168888
郵撥帳號◎15261516號
皇冠出版社(香港)有限公司
香港銅鑼灣道180號百樂商業中心
19字樓1903室
電話◎2529-1778　傳真◎2527-0904
印　　務—林佳燕
校　　對—鮑秀珍・第一編輯室
著作完成日期—1998年12月
香港發行日期—1999年07月09日
初版一刷日期—1995年07月15日
初版二十七刷日期—2021年05月
法律顧問—王惠光律師

讀者服務傳真專線◎02-27150507
電腦編號◎350048
ISBN◎978-957-33-1645-9
Printed in Taiwan
本書定價◎新台幣150元/港幣45元